L'ÉTÉ CIRCULAIRE

MARION BRUNET

L'ÉTÉ CIRCULAIRE

roman

ALBIN MICHEL

A ma sœur

Puis elle ajouta, répondant sans doute à sa propre pensée : « La vie, voyez-vous, ça n'est jamais si bon ni si mauvais qu'on croit. »

Une vie, Guy de Maupassant.

Garce

Chez eux, se souvient Johanna, une main au cul c'était un truc sympa, une façon d'apprécier la chose, de dire « t'as de l'avenir » – à mi-chemin entre une caresse et une tape sur la croupe d'une jument. Les filles avaient des atouts, comme au tarot, et on aurait pu croire que si elles jouaient les bonnes cartes au moment adéquat, il y avait moyen de gagner la partie. Mais aucune d'elles – ni Jo ni sa sœur Céline – n'ont jamais gagné aucune partie. C'était mort au départ, atout ou appât, elles pouvaient s'asseoir sur l'idée même du jeu, vu qu'elles n'avaient pas écrit les règles.

Ce soir, Céline, c'est pas une main au cul qu'elle se prend, c'est une main dans la gueule. Le père, fou de rage, s'en étouffe à moitié. Déjà qu'il n'a pas beaucoup de vocabulaire, là, c'est pire. Il retourne la tête de sa fille de son énorme paluche de maçon ; elle s'écroule sur le sol de la cuisine – un tas de tissu mouillé. Ça fait un bruit bizarre, comme si des petits bouts d'elle s'étaient brisés.

– C'est *qui* ?

Céline est bien incapable de répondre, même si elle avait décidé de parler. Elle tente de reprendre sa respiration. Ses cheveux pendent en rideau, on ne voit ni ses yeux ni sa bouche. Jo voudrait bien l'aider mais elle sent ses pieds vissés au sol comme ceux d'un lit de prison.

La cuisine sent le détergent et la lavande, fragrance de pub pour le grand Sud, cigales et compagnie.

– C'est qui l'ordure qui t'a fait ça ? C'est qui, le fils de pute sorti du con d'une chienne, qui a osé faire ça ?

La mère remplit un verre d'eau. Il lui échappe des mains et roule dans l'évier en inox. Elle chuchote *Arrête*, mais sans conviction. D'ailleurs, on ne sait même pas à qui elle s'adresse.

– Tu vas répondre, oui ?

Et puis le père cesse de crier. Son menton se met à trembler, une menace bien pire – Jo détourne les yeux. La mère s'accroupit, son verre d'eau à la main, et elle relève le visage de Céline sans douceur. Elle l'a jamais eue, faut dire. L'espace d'un petit instant, on pourrait se demander si elle va lui jeter l'eau au visage ou l'aider à boire. Céline pousse le sol d'une main, s'agrippe de l'autre au poignet de sa mère. L'eau déborde, coule sur le genou nu de la mère qui s'en agace. Dans un mouvement de recul, elle pose le verre par terre, se redresse difficilement – une très vieille femme, d'un coup, malgré son air d'avoir toujours trente ans. Céline lâche son poignet, reste prostrée sur un coude. Sa bouche a enflé, son nez semble tordu. Le père n'a jamais frappé aussi fort. Elle saisit le verre pour boire mais l'eau coule à côté, sur son menton et sur son tee-shirt décoré d'une vanité rose avec des paillettes autour, et du sang aussi qui jaillit en bulles de sa narine droite. Des milliers de pointes lui cisaillent le ventre.

Le père a croisé les bras, il a repris des forces jusque dans sa posture, et il défie Céline du regard. Elle a les yeux pleins d'eau, les joues creuses à force de serrer les dents.

– Elle dira rien, siffle la mère. Elle dira rien, cette garce.

Freed from Desire

Quand ils ont quitté la maison, plus tôt dans la soirée, ils étaient presque beaux. La mère, bronzage carotte et peau luisante de crème, portait sa chaîne dorée avec le pendentif en dauphin. Elle avait l'air si jeune, mordillait l'animal entre ses incisives, souriait par inadvertance. Le père sentait le savon et l'after-shave, il respirait fort. D'un geste vif, il a rangé son paquet souple de Marlboro dans la poche de sa chemise – déjà mouillée de sueur au col –, en a allumé une dans le soir tombant. Ses yeux se plissaient dans la lumière encore vive, violacée. Il observait les rangées de vignes comme s'il en était propriétaire.

Céline, fidèle à chaque début d'été, exposait son indécente beauté dans des fringues trop étroites, son short en jean coupé si court que le pli de chair entre fesse et cuisse s'ouvrait et se fermait à chacun de ses pas. Mais Jo, elle, se foutait bien de sa tenue ; elle allait à la fête foraine, comme chaque année depuis toujours, vaguement écœurée d'y trouver malgré elle une certaine excitation. Alors, son slim sale aux genoux, son débardeur noir sans forme, c'était bien assez. Elle se laissait couler sur l'épaule de sa sœur comme une algue molle.

– Pourquoi on prend pas la bagnole ?

Personne ne lui a répondu. On entendait les basses au loin ; dix minutes à pied, grand maximum.

Ils marchaient tous les quatre sur le bord de la route, et c'était si rare. Les filles ont accéléré pour mettre de la distance, comme quand elles étaient gosses. Les herbes sèches rentraient dans les sandales, agaçaient les orteils. Elles sautillaient sur une seule jambe, se tenaient aux épaules pour les retirer. En vue de la fête, en passant près de la croix en pierre, elles ont repris une certaine lenteur pour ne pas montrer aux autres, en tas au cœur des machines, qu'elles étaient quand même impatientes.

Le village était transformé : la fête foraine, installée pour trois jours, modifiait les rues, offrant une liesse collante et des odeurs d'huile chaude jusque sur la placette centrale, juste à côté de l'église. Le père et la mère ont rejoint la buvette, les copains du père et leurs femmes y étaient déjà. Ça riait fort et gras, c'était joyeux. Le Patrick essayait de faire danser sa femme qui braillait en rigolant qu'elle n'avait pas envie et qu'il était déjà trop saoul. Ils avaient l'air amoureux, on ne voyait presque plus qu'il lui avait explosé la gueule une semaine plus tôt. Elle se tortillait dans une robe bleutée – un gros papillon du soir. Les femmes ont pris du rosé, les hommes un pastis. Ils ont salué les filles, qui ne se sont pas attardées.

— Dis donc, ta grande, va falloir la surveiller, a lâché la femme de Patrick, dans une grimace où perçait l'envie.

Le père a souri fièrement en suivant des yeux le petit cul de Céline. Seize ans et des promesses. Patrick s'est raclé la gorge, a commandé un autre verre.

Les mêmes se sont retrouvés, comme chaque année, bandes et familles qui s'ignorent ou se fondent dans la friture et le chaos des animations. Une fois par an. C'est vrai qu'il y a aussi la Saint-Jean, et la kermesse de l'école. Mais la fête foraine, c'est le mieux. Céline a toujours aimé ça, reine de la fête, adulée des garçons – toutes bandes confondues. Même quand elle était plus jeune, il y avait les coins d'ombre où se laisser glisser contre le corps d'un petit ami, jouer à ne pas aller plus loin mais s'arrêter tout au bord. Eux rêvaient de ses doigts aux ongles roses sur leur petit pénis dressé ; elle serrait amoureusement de grosses peluches gagnées à la carabine en espérant des mots d'amour. Et s'il fallait se laisser tâter maladroitement les seins pour obtenir de pauvres *Je t'aime* balbutiants et autres dérivés sans imagination, elle était prête. Elle voulait bien, un peu. Jo faisait le guet.

Mais ce soir-là, il n'y avait que sa sœur pour voir que Céline faisait semblant. Elle ouvrait sa gorge pour rire aux inepties de Lucas, aux blagues foireuses d'Enzo. Son gloss brillait pour la galerie.

14

Elles se sont approchées de la Tarentule, avec les autres. Dix ans que l'attraction a débarqué ici, les nacelles en aluminium qui clignotent en rouge et jaune, les lumignons qui s'affolent sur *Freed from Desire*. Le vertige, toujours, et les cris lorsque la structure de métal se met en marche et soulève les grappes de voltigeurs volontaires. Même les vieux ça les amuse, de voir la jeunesse s'embarquer là-haut pour se faire des frayeurs. Personne n'a jamais eu l'air de trouver étrange que le même morceau de *dance* passe, année après année, comme si le temps s'était arrêté en 1996, vingt ans plus tôt.

Céline et Jo, elles connaissent par cœur. Elles ne comptent plus le nombre de fois où elles ont hurlé tout en haut, quand les sièges commencent à tourner lentement sur eux-mêmes avant de tomber à une vitesse dingue pour remonter tout aussi vite. Mais elles y retournent chaque fois, pour le frisson.

Déjà, Lucas essayait de doubler Enzo pour monter avec Céline.

Elle a passé sa main sous sa nuque pour balancer ses cheveux vers l'arrière, et le temps s'est arrêté dans les yeux des mecs, dans l'envolée et jusqu'à la gifle de sa chevelure retombant dans son dos. Après ils se sont remis à respirer, un peu moins fiers et beaucoup plus courageux que tout à l'heure, le sourire un peu con, aussi. Mais malgré le jeu, malgré les autres, malgré le plaisir du son poussé au maximum – qui forçait à crier ou à coller ses lèvres au bord d'une oreille –, l'euphorie n'était que feinte. Il y avait déjà cette chose en elle, qu'elle faisait encore semblant d'ignorer : une conséquence logique, une logique froide qui veut que la misère n'engendre rien d'autre que la misère. Elle se mentait encore un peu, le temps d'un tour de manège, le temps de voir se battre deux gars pour avoir le privilège de serrer sa taille en plein tournis, recueillir ses cris de frayeur et ses cheveux emmêlés dans les descentes de la machine, espérer plus. Pourtant, déjà, la tête levée vers la grosse araignée de fer et les pieds sur les marches striées qui clignotaient en couleur, elle se sentait mal. C'était absurde : elle n'avait pas peur du vide, ni de la vitesse, elle avait toujours aimé les manèges. Une oppression un peu collante – intuition séculaire ?

Céline s'est tournée vers Enzo, l'a élu d'un regard pour cette première montée. Lucas était déçu mais il y en aurait d'autres, ils faisaient dix tours par soir de fête foraine, la soirée commençait à peine. Pas sûr que le premier sur l'échiquier soit toujours le gagnant. Il s'est éloigné pour rouler un joint. Le prochain tour serait pour lui. Vanessa s'est agrippée à Manon, à moins que ce ne soit le contraire. Elles gloussaient en repoussant Antony qui les enlaçait en chuchotant des trucs à leurs oreilles qu'elles faisaient semblant de ne pas comprendre. Elles secouaient la tête, les hanches. Leurs yeux brillaient. La musique saturait l'air autour d'eux, faisait vibrer le sol, remontait le long des jambes – *Want more*

16

and more, people just want more and more –, même celles de Jo. Ses genoux vibraient un peu, elle n'aurait pas su définir clairement si elle aimait cette fureur-là ou tout le contraire. Ses yeux allaient des nacelles enfin libérées à sa sœur.

– T'es sûre que ça va ?

Elle était obligée de hurler. Céline n'a pas répondu, toute blanche, l'œil dilaté par les lumières hystériques. Elle a acquiescé, gardé la tête baissée, cheveux devant le visage.

– T'es pas obligée si tu te sens mal, a repris Jo. C'est pas comme si on était là chaque année à se fader le même manège depuis dix ans.

Ç'a eu le mérite de faire sourire Céline. Qui s'est penchée pour gratter une piqûre de moustique sur son mollet. En se redressant, elle a senti que ça tournait, des petits points blancs altéraient sa vision. La sueur rinçait sa nuque – mais avec cette masse de cheveux et l'été qui pointait – déjà moite ; elle aurait dû les attacher. Et puis le monde, le bruit, la chaleur des moteurs qui montait de la machine…

– Viens, on se tire, a insisté Jo. T'as une sale gueule.

– C'est bon, lâche-moi. T'as vu la tienne, de gueule ?

– Je t'emmerde, Céline. Vas-y, t'as qu'à monter, tu gerberas sur Enzo, il va aimer.

– Vous dites quoi ? a braillé l'intéressé.

– Rien, elles ont répondu en chœur, sans le regarder.

17

La musique a repris, greffée à l'arachnide comme le chant d'une bête. En boucle, désespérément coincée sur *repeat*. Jo a pensé qu'elle était la seule à saisir l'ironie de la chose.

Ils ont pris place dans les nacelles. Jo s'est installée, a descendu la barrière de sécurité. Les shoots d'adrénaline, elle les a toujours pris seule. Les autres sont montés par deux, en paires gloussantes, ont attaché les sangles sur leur ventre et refilé leur jeton en plastique à Sauveur, le forain qui gère l'attraction : toujours lui depuis le temps, juste une dent en moins et le cheveu plus rare. Il a fait un clin d'œil à Jo ; il a toujours su reconnaître les bizarres, les aime en frère.

L'araignée s'est ébranlée, a levé ses pattes vers le ciel. Jo a regardé en bas : les gosses collaient leur nez aux vitres des bacs où s'entassaient les peluches miniatures, tentaient de choper un lapin avec une pince, perdaient à chaque fois. Plus loin, la buvette et ses verres étalés ressemblait à une dînette, ses parents à de petits animaux.

Freed from Desire résonnait encore plus fort, là-haut.

C'était grisant, soudain, cette embardée au-dessus du monde. Jo avait oublié. Elle aurait aimé autre chose en fond sonore, du grandiose ou du râpeux au lieu de cette daube éculée. N'empêche, elle a savouré le tournis et ses jambes en coton. Ils se font tellement chier ici que toute émotion forte est bonne à prendre. S'ils frissonnent, c'est qu'ils ne sont pas morts, coincés sur *repeat* eux aussi. Devant elle, Céline, collée à Enzo, encaissait les soubresauts de la Tarentule en poussant des petits cris. Jo observait sa sœur floutée par la vitesse : un an de plus, un crâne de piaf, un port de reine. Seize ans à s'agiter dans le monde, effleurer le vide, éclore sans apprendre. Devenir encore plus jolie que l'année d'avant, et un peu plus conne. C'est drôle que, des deux, ce soit Céline l'aînée. Johanna n'est pas particulièrement raisonnable, mais elle porte un peu de cette lassitude désespérée qui fait parfois office de maturité, même à quinze ans.

Soudain, la tête de Céline a cessé de s'agiter pour tomber sur l'épaule d'Enzo. Elle n'y est pas restée, nichée comme une amoureuse : elle a basculé en arrière, secouée par la vitesse. Enzo s'est affolé, a tenté de ramener le visage de la jeune fille vers lui. Il lui tenait la nuque comme si elle allait se briser, hurlait en agitant son bras libre – comme tous les autres autour de lui. Jo a immédiatement compris que sa sœur s'était foutue dans les pommes, mais elle n'a pas crié. Elle a attendu que ça passe, que l'araignée achève sa danse folle ; quelques minutes encore, pas plus. Le temps semble toujours plus long perché là-haut, mais ça finirait par se calmer, elle le savait. Impossible de profiter du vertige à présent. Elle était sûre que cette conne allait faire un malaise, c'était écrit sur sa tronche.

En ralentissant, les nacelles sont lentement descendues vers le sol. Une sorte de sirène d'alarme a annoncé la fin des secousses ; les cris d'Enzo ont enfin alerté le monde, et une nuée s'est précipitée pour sortir Céline du panier chromé. Sauveur a coupé la musique – *enfin*, a eu le temps de penser Jo – et il est sorti de sa cahute en trombe. D'une simple gueulante, il a viré tout le monde, pour s'approcher de Céline et lui coller une grande gifle, première d'une longue série. Les parents sont arrivés en courant, avec Patrick et sa femme, prévenus par des gosses. Au moment où ils sont montés sur le manège, Céline s'est enfin redressée, a ouvert les yeux et s'est pliée en deux pour vomir aux pieds d'Enzo. Le ricanement de Jo a sonné le début des vraies emmerdes.

– Elle a quoi ? a demandé le père, la voix molle et anisée, vaguement inquiet.

Céline a fui le regard du père. Elle avait dû s'interdire d'y croire, faire semblant pendant de longues semaines, écraser ses seins lourds dans un soutif trop serré. À moins qu'elle l'ait su depuis le début et qu'elle ait fait semblant, comme si ça pouvait disparaître, juste en refusant d'y croire. Là elle a enfin compris, quand la bile tiède a reflué sous sa langue comme chaque jour depuis trop longtemps, et elle n'était pas la seule.

– Elle serait pas enceinte, ta gosse ? a lâché la femme de Patrick.

Horizons

– La première fois, Céline racontait, c'est comme une aiguille à tricoter qui te transperce par l'intérieur.

– Ben pourquoi tu le fais, alors ? s'étonnait Jo, la bouche tordue en grimace, se tenant le ventre au niveau de l'estomac comme si *ça* passait par le nombril.

Elle savait très bien par où ça passait, elle était pas idiote, non plus. Mais l'aiguille à tricoter, c'était un peu trop visuel. Treize ans, elle avait ; Céline en accusait quatorze.

– Non mais après, c'est mieux.

C'était il y a deux ans, dans « leur » borie, que Céline expliquait pourquoi après, c'était mieux. Les bories du Sud, comme les bunkers des plages du Nord, rassemblent sous les pierres posées les fumeurs clandestins et les confidences – les premières baises aussi, parfois. Et les vagabonds.

– Après, c'est comment ?

– Mieux, je t'ai dit. Bizarre, mais bien.

Elle fronçait le nez en souriant, repliait ses jambes

21

sous elle. Les filles claquaient les moustiques sur leurs cuisses nues. Celles de Jo étaient jolies aussi, mais ça n'avait pas beaucoup d'importance.

Céline, dont les seins triomphants annonçaient dès treize ans un bel avenir si elle savait comment user de ses charmes, a très vite récolté de la part des hommes ce regard d'appréciation sans respect qui autorise beaucoup ; elle leur appartenait déjà. Le père a mis du temps à réaliser que Céline, conforme à l'étiquette, savait sans avoir appris. Il avait été le premier à lui en faire compliment, fier comme d'une génisse, fallait pas qu'il s'étonne. Céline était belle et en jouait, vu que sa capacité attractive était inversement proportionnelle à la profondeur de son champ de vision. Pour Céline, l'horizon allait jusque-là où elle pouvait voir. De la maison, ça donnait sur les collines du Luberon. Des fenêtres du lycée technique, elle pouvait pousser jusqu'au mont Ventoux. Au-delà commençait l'horizon de sa sœur. Mais ça, c'était pas pour tout de suite.

Lorsque Jo passe la porte, au retour du lycée, le père l'attend, installé à la table de la cuisine. Ils n'ont pas reparlé depuis le soir de la fête ; ils se croisent.

— Assieds-toi.

Elle obéit, sans mots. Note l'absence de la mère, celle de Céline.

— Tu savais ?

— Non.

– Me prends pas pour un con. Je recommence : qui c'est ?

Il est couvert d'éclats de ciment. Ses mains en sont presque blanches. Jo fixe les minuscules gouttelettes en relief, solidifiées. Elle s'accroche aux dessins en pointillés, se perd dans la chair des phalanges. Il serre son verre. Il est déjà bourré – un peu, pas trop.

– Je sais pas. Je te jure.

– Jure pas. Tu sais forcément.

Jo dit non. Elle le répète, en secouant la tête, la bouche cousue – plonge ses yeux impairs dans sa vue basse. Il déteste ça. Il l'aime, sa deuxième, mais il l'a toujours trouvée bizarre, et il est pas le seul. Très vite, très tôt, entre silence et yeux vairons. Un vert, un bleu, avec des nuances mais sans gémellité. Ça faisait peur, même quand elle était gosse. En tout cas c'était trop étrange pour ne pas les gêner, les gens. Dans son regard vairon, les vieux voyaient de mauvais présages, et ses pairs y lisaient une étrangeté qui – de fait – l'inscrivait dans une autre réalité que la leur. La bizarrerie a ses avantages. À force de faire semblant de ne pas la voir pour éviter son regard, les gens finissent par oublier qu'elle est là. Ça autorise certaines excentricités, et il lui arrive d'en abuser, histoire d'entretenir cette licence de petite folie, cet écran de trouble entre elle et les autres. Là, face au père, elle en a besoin. La vérité, c'est qu'elle n'en sait vraiment rien, de qui a mis sa sœur enceinte. En faisant le compte à rebours, trois mois en arrière, elle voit pas. Difficile de savoir, avec sa sœur. Du temps a passé, depuis les tripotages derrière les autos-tamponneuses. Elle est belle, Céline, mais faut pas croire que pour certains, elle est autre chose qu'une pute.

– J'en sais rien, vraiment.

Le père soupire. Jo a peur, soudain, qu'il se fissure et craque. Dans ce visage brun et agressif, les prunelles claires ourlées de cils trop longs appellent l'enfance. La demi-pénombre de la cuisine cache à Jo ce qu'elle ne veut pas voir. Elle préfère les claques – au cul ou dans la gueule, qu'importe. Mais pas le voir chialer. L'horloge fait *tchic-tchic-tchic*, les secondes qui tournent avec ce connard de Mickey au milieu ; elle en compte douze avant de se lever. Ouvre le frigo pour prendre deux 16, en pose une devant le père. Il lève un œil reconnaissant, la décapsule au briquet. Comme il tend la main vers la deuxième, elle le laisse faire. Et puis elle se tire, avec la deuxième bière et une clope qu'elle lui a prise dans son paquet. Elle sait qu'il a relevé la tête, qu'il la regarde traverser le rideau de lamelles en plastique. Elle sent son regard entre ses omoplates et sur son cul.

– Où tu vas ?

Mais c'est pas menaçant, juste une question.

Elle hausse les épaules sans répondre et allume la clope. La pelouse du jardin, déjà jaunie par l'été, crisse de petites bêtes. La bouteille est encore fraîche dans sa main mais ça ne durera pas.

– Je reviens.

Et elle s'enfuit dans la garrigue, cherche un coin d'ombre pour échapper aux questions et boire sa bière en solitaire.

Bilan

Dans le silence de la cuisine, le père boit sa bière, tête rentrée dans son cou. D'autres vont suivre, la soirée commence à peine et il a des choses à rendre floues. Pour l'heure, tout est bien trop clair dans sa tête, clair et dégueulasse comme sa belle gosse à lui, jambes écartées sous le poids d'un connard. Il le sait pourtant, qu'à seize ans aujourd'hui, on n'est plus vierge. Ou alors c'est rare. À l'âge de sa gamine il le savait déjà, et la mère était pas plus vieille, d'ailleurs. Y avait toujours les pimbêches qui protégeaient leur vertu comme si elles valaient mieux que les autres, ou les très moches, ou les gouines. Mais Céline, forcément, il aurait dû savoir. Sauf que non, merde, c'est sa gosse. Sa première, son trésor, sa fierté. C'est même lui qui l'a amenée chez le bijoutier – elle devait avoir deux ans –, pour faire percer ses petites oreilles. De minuscules pendants dorés pour la rendre encore plus belle. Évidemment que c'était pas toujours facile, et y avait des claques qui résonnaient souvent dans la maison, mais finalement il avait pas dû en donner assez.

Le matin même, sur le chantier, c'était tendu. Il s'est embrouillé avec deux gars de l'équipe, pour rien, une connerie à cause de la bétonnière. Ils vont finir par savoir. Plus possible de faire passer le gosse, cette conne a attendu trop longtemps. Voilà, c'est une conne maintenant, une garce comme a dit la mère, et la mère a raison. Oui, il aurait dû être plus ferme, les claques ça suffit pas, ça suffit jamais avec les femmes. Il peut bien dire *femme*, maintenant qu'elle en est, et qu'elle va le sentir passer. Le Patrick a compris, bien sûr. Et il a repéré sa tronche aujourd'hui, sa mâchoire serrée gueule fermée, menton hargneux. Quand il s'est pris la tête avec les deux autres manœuvres, c'est Patrick qui a calmé le jeu, lui qui démarre au quart de tour la plupart du temps.

Manuel a repris une bière. Il transpire. Il faudrait qu'il aille sous la douche, virer la sueur et les éclats de béton, mais il y arrive pas, pas envie d'être neuf et lavé. Il préfère rester dans son jus, sa crasse, ressasser et monter en colère. C'est l'heure où lui-même ne sait pas comment se fera la bascule : violente ou pleurnicharde, ça dépend des fois.

Quinze et seize ans, ses filles. *Ses* filles. Merde, c'était avant-hier qu'il avait leur âge. Alors il se met à penser à son père, d'un coup, et c'est pas bon signe. À son grand-père aussi, bien sûr. Au gosse qu'il a été, aux vieilles rancunes. C'est toujours pareil avec la picole : on croit qu'on s'éloigne mais on revient au centre encore plus fort, chaque fois. L'Espagne reprend ses droits au milieu de la cuisine alors qu'il n'y a jamais foutu un pied. Il se lève, s'immobilise quelques secondes devant le frigo ouvert pour la fraîcheur, saisit une autre bière.

Il s'en foutait, lui, de l'Espagne, et de cette guerre dont on lui parlait sans cesse. Il aurait préféré que ça n'ait jamais existé. D'ailleurs il n'a jamais voulu apprendre la langue, ça rendait son père fou de rage. Mais putain, y en avait marre de cette condition qu'on traînait comme une gloire : les perdants magnifiques, vivre avec l'Histoire sur sa gueule. Y en avait marre du grand-père, et de son rêve libertaire agonisant sous les balles franquistes. Les histoires de réfugiés au camp d'Argelès. Merde ! Tout le monde s'en foutait de la guerre d'Espagne, lui le premier. Les autres emballaient les filles sur des scooters rutilants, même Patrick en avait eu un pour ses quatorze ans. Lui, il avait dû retaper la vieille mob du paternel, une épave. Il détestait, dans sa voix, les restes d'accent espagnol qui, malgré la France, tiraillaient encore la fin de ses phrases vers un chant familial. Et les chants de lutte braillés au retour de manifs. Y en avait marre d'être petit-fils d'étranger, et pauvre. Et de devoir en être fier. C'était ça, surtout, qui le rendait fou.

Au bal du 14 Juillet, à Fontaine-de-Vaucluse, il avait quand même réussi à emballer Séverine. Et il avait su la garder, ce qui était encore plus dur. Dix-huit ans, il avait. Dix-huit ans et sa première paie d'apprenti en poche. Le cheveu savamment décoiffé au gel – il ne se rasait pas encore la tête – et les bras déjà bruns du soleil des chantiers. Exit l'Espagne, le syndicat du père, l'appart pourri en périphérie de Cavaillon. Exit le petit-fils de réfugié. Séverine lui tendait les lèvres, et ses seins s'écrasaient doucement contre son torse tandis que Scorpions hurlait *I'm still loving you*. Il aurait sa part du gâteau lui aussi.

Manuel lève la tête et tend son regard vers les murs. Ses murs. Endetté jusqu'au cou mais propriétaire de sa maison en carton-pâte, de sa maison au crépi rose dans le lotissement social construit par une mairie vaguement socialiste, dans les années 80. Seulement il doit encore tellement de fric à son beau-père que c'est pas vraiment comme si elle était à lui. C'est plutôt comme si elle était à sa femme, la maison. Quand il y pense un peu trop, il a l'impression qu'on lui a coupé les couilles à la faucille. Et maintenant sa fille, comme s'il était incapable de la surveiller. Au grand jeu de la vie, lui non plus n'a pas écrit les règles. Le problème, c'est qu'il pensait le contraire.

Les branches du Paulownia

Dans le salon arabe, sur les banquettes alignées le long du mur, Céline est allongée comme une gisante. Kadija lui parle doucement, lui propose du thé. Mais pour ça il faudrait qu'elle se redresse.

– Et ta mère, elle dit quoi ?

– Rien.

– Comment ça, rien ?

– Rien du tout. Elle veut juste savoir qui c'est.

– Et ton père ?

Céline baisse les yeux, elle n'aime pas parler de son père ; il lui fait peur depuis qu'il sait.

– Il me parle même plus. Il fait comme si j'existais pas et puis d'un coup il me regarde comme s'il m'avait jamais vue, comme si c'était pas moi. Y a que Jo qui me juge pas. Et encore, pour savoir ce qu'elle pense, celle-là…

La mère de Saïd caresse les cheveux de Céline. Enfonce ses doigts bruns et secs dans l'épaisseur, agace le cuir chevelu. Elle secoue la tête en faisant des petits bruits de langue.

– C'est normal. Moi aussi je veux savoir.

– Il rentre à quelle heure, Saïd ?

Dans le silence de Kadija, Céline échappe aux caresses et se redresse lentement, les mains bien à plat sur les housses en plastique des banquettes. Elle la regarde à fond et se fend d'un sourire.

– C'est pas Saïd, juré.

– Ça c'est une bonne nouvelle.

Céline se renfrogne comme une fillette.

– Ça veut dire quoi, ça ?

– Il lui faut une fille sérieuse, à mon fils.

– T'as pas de respect pour moi ?

Kadija tripote la théière, l'ouvre pour écraser les plantes au fond à grands coups de cuillère.

– Écoute Céline, ça fait seize ans que je te vois tous les jours, je travaille pour ton grand-père et tu joues avec mon fils depuis l'école maternelle : tu es comme ma propre fille...

Elle s'arrête là : le *mais* flotte entre elles, solide et sans appel. Céline pense à Sonia, qui change de fringues dans le bus pour aller au lycée, troque ses sweats Decathlon contre des tops sans bretelles, et elle a envie de la balancer. Ça lui brûle la bouche, de cracher que l'hypocrisie, ça va bien deux minutes. Que Kadija l'a peut-être pas dans les cheveux, le voile, mais sur les yeux oui, bien épais. Elle se mord la lèvre.

– Toute façon, Saïd il s'en fout de moi, et c'est pas du tout mon style de mec, tu vois.

Kadija soupire, évalue les dégâts sur le visage de Céline.

– Ça va s'arranger. Ça s'arrange toujours, au bout du compte.

– Tu parles de ma figure ou de ma vie ?

La femme part d'un rire velours, chaud et plein de dents.

– Les deux, ma fille.

Céline grimace, touche l'arête de son nez du bout des doigts. Elle refait chaque matin le chemin pour se rendre belle : poudre, blush, noir sur l'œil, le long des cils.

– Tu crois que je serai aussi jolie, après ?

– Après quoi ?

– Quand mon nez sera guéri. J'espère qu'il va pas rester tordu.

Kadija caresse des yeux le ventre de Céline.

– Et pour le reste, tout va bien ?

Céline fronce les sourcils. Il lui faut plusieurs secondes pour comprendre. Elle baisse les yeux sur son ventre et les lève au ciel – c'est tellement excessif. Un jeu de gestes, une comédie permanente.

– Tu sais que j'ai du mal à fermer mon jean ? Je vais choper un gros cul si ça continue.

Kadija regarde Céline se contorsionner pour voir ses fesses, croiser ses jambes et se refaire un sourire.

– Tu devrais rentrer chez toi, Céline. Je dirai à Saïd de passer vous voir, si tu veux.

– Mais...

– Les enfants vont rentrer, je dois m'occuper d'eux.

Elle en devient boudeuse, Céline, de se faire virer, même en douceur. Ça fait plusieurs semaines qu'après les cours elle traîne son joli cul et ses ecchymoses dans le salon des voisins. Peut-être un peu pour faire chier son père, qui n'aime pas les Arabes. Mais une chose est sûre : c'est toujours à regret qu'elle rentre chez elle. Chez elle, ça pue le reproche et la honte. Sans compter qu'elles pleuvent toujours, les taloches du père. Il a brisé une digue, avec la première raclée. S'il ne l'a pas tuée avec ses poings, sa main ouverte en travers du visage ne peut pas lui faire grand mal. Et quand ses copains viennent boire un verre à la maison, Céline file dans sa chambre. Pas offrir ses cuisses de biche, sa gorge liquide, son ventre à peine rond sous l'attente. Le père aime pas.

– Traîne pas, va, il crache chaque fois. Sûr que t'as un truc à faire dans ta chambre, me fais pas honte.

Il a jamais été facile, le père, mais là c'est autre chose. On dirait qu'elle a fait ça juste pour le faire chier. Il a pris dix ans, hargneux comme un dogue, le sourcil bas sur un regard menaçant. Alors, quand elle débarque à la maison après s'être fait virer par Kadija, et qu'elle le trouve causant avec Patrick, elle se cache derrière ses cheveux, rentre son ventre et file droit, direct à l'étage. Les deux se taisent en la suivant des yeux. Au milieu des escaliers elle s'arrête, fixe Patrick un instant puis tranche le silence d'une voix tendue :

– Saïd va passer tout à l'heure.

Et elle reprend sa montée pour aller s'enfermer dans sa chambre. Casque sur les oreilles, musique à fond, elle serre les pans de sa couette comme on enlace un corps ou un doudou. Céline se balance un peu, les yeux dans la lumière. Une chaleur à crever, encore. Il aurait fallu croiser les volets pendant la journée pour garder un peu de fraîcheur, mais ce matin elle a oublié. Le paulownia tend ses branches jusqu'à hauteur de fenêtre. Elle observe les panicules violines, déjà pourries, collées au bois. Ça l'écœure un peu. Elle imagine qu'ils parlent d'elle, en bas. La traitent de pute, peut-être. Et puis elle monte le son, se lève pour danser devant le miroir. Lentement, elle se déhanche : de face, ça va, mais de profil, c'est déjà foutu, le renflement habité transforme sa silhouette. Elle ne chialera pas.

En bas, Patrick secoue la tête. Il ne regarde pas son ami, pour pas le mettre mal à l'aise sans doute, du coup c'est pire. Il fixe sa bière, ses mains aux doigts calleux, le canapé jaune citron, les pieds de la table, le cendrier en porcelaine, la photo sur le buffet – celle où il pose avec son pote au retour d'un chantier avec Céline dans les bras, quatre ans et demi et sa casquette trop grande sur sa petite tête. Il plisse les yeux, soupire pour mettre du son dans le silence gluant, serre les poings pour faire

34

bonne mesure et les enfonce dans ses cuisses comme s'il allait en découdre, là, tout de suite.

– C'est qui, Saïd ?

– Le voisin. Un copain d'enfance. Laisse tomber, ça peut pas être lui.

– Ah ouais ? Comment tu peux être sûr ?

– C'est ma fille.

Le père, sursaut d'orgueil, faut pas déconner quand même.

– Tu peux pas faire confiance à un melon.

– Je dis juste que c'est pas lui.

– Tu vas rester là à attendre qu'elle ponde son gamin pour voir à qui il ressemble ?

Le père se redresse ; il a du sang dans le blanc des yeux. Manque de sommeil, et puis la colère.

– T'as raison en fait, j'en sais rien.

Le poison fait son effet, gagnant les grandes lignes de sa tête. Il salit tout et tout le monde, poisseux comme les feuilles géantes du paulownia. Manuel a des visions de visages écrasés sous son poing, il entend même le bruit des cartilages qui se brisent contre ses doigts. Mais les visages restent flous, nombreux et sans nom. Il a envie de se battre – tout le temps, avec tout le monde.

Depuis deux jours, ils bossent sur un nouveau chantier. Des travaux sur une villa, entre Gordes et Bonnieux : extension de la baraque, agrandissement de la piscine, cuisine d'été, bassin d'agrément et dépendance pour les amis. Le luxe banal d'une région truffée d'enclaves paradisiaques, où les piscines privées sont aussi nombreuses que les cigales. Tout en pierres apparentes, bien sûr. Parce qu'ils ont du goût, évidemment. La proprio leur a expliqué qu'elle voulait pas trop que ça traîne, elle marie sa fille en août, et vous comprenez, il va y avoir du monde. Un petit rire cristallin, et elle est rentrée dans la maison, son cul suivi par huit regards éloquents. La fille, ils savaient pas, mais la mère, ils auraient bien voulu. *Connasse de bourge*, a lâché Manuel entre ses dents.

Ça passait pas. Non, ça passait pas. Se battre. Tout le temps, avec tout le monde.

C'est le moment que choisit Saïd pour frapper sur le montant de la porte ouverte. Il dit :

— C'est moi, je viens voir Céline et Jo.

Il traverse le rideau en plastique, sourit aux deux hommes attablés. Une lamelle rouge est restée accrochée à ses cheveux. Il s'immobilise sous le double regard des hommes, leur maintien de brutes.

— Dégage, grogne le père. Elle est pas là, Céline.

— Et tu lui veux quoi ? insiste Patrick.

Saïd se fige, son sourire vire à la grimace. Il a dix-huit ans et une fierté de coq, mais il sait d'instinct que le terrain est contre lui. Il n'insiste pas.

— Je reviendrai plus tard.

— Pas la peine. Je veux plus te voir tourner autour de ma fille, t'as compris ?

Le jeune homme recule, même si les deux autres n'ont pas bougé de leur chaise. Il sort sans répondre, tandis que le père de Céline braille une deuxième fois, pour qu'il l'entende jusque dans la rue :

– T'as compris, petit merdeux ? T'as bien compris ? Si je te revois ici, t'es mort !

Se battre. Tout le temps, avec tout le monde.

Piscines

Elles font ça depuis toujours. Depuis qu'elles sont en âge de quitter la maison sans bruit, du moins. Lâchées comme des sauvageonnes dans la garrigue. Personne n'a songé à les en empêcher, parce que personne ne sait vraiment. À la nuit tombée, dans le début de canicule propre à chaque été, Jo et Céline s'introduisent en douce dans les belles propriétés encore vides pour profiter des piscines. Plus qu'une habitude, c'est devenu un rituel qui marque le début de la saison. Le Vaucluse est rempli de villas habitées un mois par an, et toutes ont des piscines, nettoyées et éclairées dès le mois de juin.

Alors quand Jo a chopé deux serviettes de plage et a tiré sa sœur du lit, elles n'ont pas eu besoin de se parler. Elles partagent la même piaule depuis toujours, la maison étant trop petite pour qu'elles aient une chambre chacune. Même quand leurs différences sont devenues probantes, éclatantes d'évidence jusque dans les affiches épinglées au mur, elles ont dû s'adapter. Elles se déclarent leur amour à coups de claques, souvent. Et l'intimité est une notion qu'elles ont apprise à deux.

Elles se glissent sans bruit sur le rebord de la fenêtre et plongent dans la nuit, par le petit muret, sur la gauche, galopant sans rire jusqu'à la sortie du lotissement ; elles exultent en gloussant, une fois sur la route. Cet été-là sera différent des autres, elles le savent – une menace dans l'air épais, déjà brûlant. Ça leur fout une boule au ventre mais elles continuent encore comme si de rien, comme si l'été allait tenir ses promesses.

Sur le chemin des Dames, elles cessent de rire, écoutent le craquement des herbes sèches sous leurs pieds. Pour la première baignade de l'été, elles ont choisi une villa qu'elles connaissent depuis longtemps : celle d'une actrice américaine un peu fanée qui vient deux fois par an se dorer la pilule avec un amant. La surveillance est moindre que dans les villas d'hommes politiques. Parfois ça les amuse, de resquiller la surveillance, jouer à chat avec les gardiens assoupis aux grosses lunettes et talkie-walkie. Se faire virer, insulter la terre entière et s'enfuir à moitié à poil et claquettes à la main, courant sur les petits chemins. Se raconter l'histoire, après, et rire de la tronche du bonhomme, ébahi de trouver deux gonzesses en plongée canard dans la piscine censée rester lisse et vide jusqu'à l'arrivée des proprios. Elles ont quelques souvenirs marrants. Mais ce soir, elles n'ont pas envie de ça. Ce soir, elles fêtent l'arrivée de l'été et le début des emmerdes, elles célèbrent la fin de quelque chose sans trop savoir le nommer. Pas la peine de se rajouter des frissons.

En grimpant par-dessus le grillage, Jo s'écorche la hanche, se met à couiner en retombant de l'autre côté. Assise dans l'herbe et dans le noir, elle cherche à tâtons la déchirure sur son short. Céline est proche, elle la devine au crissement des feuilles, à son rire étouffé.

– T'es conne ou quoi ? C'est pas drôle, je saigne.

Elles font taire le chant des grenouilles, agglutinées dans les vasques de pierre. Jo se relève, oubliant les griffures de la ferraille et son short déchiré. Le terrain est large, cent mètres à slalomer entre les petits chênes truffiers jusqu'à la belle bleue qui ne clapote pas. Elles avancent en terrain connu, même si ça fait longtemps. Ça craque sous leurs pieds au début, et puis le moelleux des pelouses les prend par surprise. Ici, l'arrosage automatique rend l'herbe plus verte ; elles la sentent, spongieuse sous leurs sandales. Alors elles se déchaussent pour sentir le chemin, terre et herbe sous la plante de leurs pieds nus.

Maintenant, elles y sont : leur reflet, ombre en découpe mouvante sur les murs de la villa, et cette impression de fraîcheur qui émane du bassin alors qu'elles n'ont pas encore plongé. Familier et excitant à la fois. Elles arrachent toutes leurs fringues et sautent exactement au même moment, provoquant de gros remous sur les bords en pierre. C'est Jo qui émerge en premier ; elle bascule sur le dos et se laisse glisser. Céline traverse la piscine dans la largeur et par le fond, reprend son souffle de l'autre côté, s'appuie sur la margelle. Avant, elles jouaient à se croire chez elles, princesses ou starlettes, parlaient millions et projets insensés, club hippique et voyages avec un accent aristocratique. Elles ont arrêté de s'en amuser, parce que Jo n'a plus voulu. Jo, c'est en vrai qu'elle rêve de partir. Pas forcément pour une vie de princesse, mais juste pour échapper à celle-là. Dans les piscines de bourges, elle se sait clandestine et pas invitée – mais ça a toujours le charme de l'interdit, à défaut d'autre chose.

Céline rejoint sa sœur en deux brasses puissantes.

– On fait quoi cet été ?

– Je sais pas. J'aimerais bien me faire un peu de thune.

– Saïd fait les pommes chez papy et mamie.

– Ouais. Moi aussi j'aimerais bosser.

– Toi ?

– Ben oui, moi. T'es conne ou bien ?

– Tu comptes faire quoi ?

– La cousine de Patrick m'a parlé d'un bar associatif, sur Avignon. Il ouvre pendant le festival.

Jo se laisse couler. Elle entend Céline, le rire de Céline, et des sons étirés comme un écho, mais sans saisir les mots. Elle reste encore un moment, la tête engourdie sous l'eau.

Ce jeu-là a commencé il y a longtemps ; un jeu secret que personne, pas même sa sœur, ne connaît : jouer à se noyer. À faire semblant de mourir. Elle reste sous l'eau le plus longtemps possible, jusqu'à ce que son cœur batte si vite et si fort qu'elle le sent près d'exploser. Elle bouge alors la tête dans tous les sens et ça devient bizarre : douloureux et agréable en même temps. À la limite, la toute dernière limite – ou ce qu'elle imagine l'être –, elle émerge en reprenant son souffle, enflammée par l'idée qu'elle a failli mourir, qu'elle maîtrise cette chose-là, cet indicible. La première gorgée d'air est extraordinaire, jouissive. Le sang bat furieusement dans son corps comme s'il allait briser ses veines, elle sent les coups dans ses tempes, sa gorge, contre son sexe soudain enflé comme par le désir. Et elle aime ça. Oui, plus vivante que d'habitude.

Elle remonte à la surface, essoufflée. Elle n'a pas joué le jeu jusqu'au bout, elle n'est pas toute seule.

– Tu dis… quoi ?

– Je dis que comme serveuse, t'es pas assez stylée.

– Un bar associatif, pas une boîte.

– Ça fait quoi comme différence ?

– C'est des artistes qui viennent là, des comédiens, des musiciens. Des gens qui vont au théâtre.

– Toute façon t'as pas l'âge. Et puis elle a vu tes yeux, la cousine de Patrick ?

– Salope.

– Elle sait que les clients vont faire semblant de pas te voir ?

– Ta gueule.

– Non mais au moins si tu bosses aux champs, chez papy, les saisonniers sont tellement moches qu'ils verront pas comme t'es bizarre.

– Je suis peut-être bizarre mais moi je baise pas avec tout le monde. Et si je baise, je mets une capote.

– C'est toi la salope.

Céline se jette sur sa sœur, bras en avant, en appuyant sur sa tête de tout son poids. Jo se débat, hilare, avant de couler, puis attrape Céline par la taille et la tire sous l'eau avec elle. Elles coulent ensemble. Les corps s'emmêlent dans un ballet ralenti par l'eau. Leurs talons frappent le fond de la piscine et elles remontent en flèche, détachées, reprennent leur souffle en crachotant.

– Tu vas me le dire, à moi, qui c'est le taré qu'a baisé avec toi cette fois ? Celui qu'a fait ça ?

En allongeant la lèvre inférieure dans un petit gloussement, Céline boit malgré elle une gorgée d'eau chlorée.

– On s'en fout.

– Comment ça ?

– On s'en tape de savoir qui c'est. Même moi je m'en tape.

– Tu sais même pas qui c'est !

– Mais si.

– T'es grave.

– Je sais *très bien* qui c'est.

L'amorce d'un fou rire saisit Jo.

– Putain, Céline…

Leur rire éclate en saccade, résonne contre les murs en pierre de la villa. Leurs cheveux collés au crâne, leurs visages humides, leurs bouches ouvertes sur ce rire rugissant qui gonfle dans la nuit. Le noir de son maquillage a coulé sous les yeux de Céline. Son ventre et ses seins prennent leurs aises dans les remous. Et le turquoise de la piscine leur offre un éclat de noyées magnifiques.

Faut pas trop qu'elles tardent à rentrer, elles vont au lycée demain.

Petite ville

Assise à la terrasse du Café de France, Séverine attend. Elle est fébrile et ça l'agace, c'est Charlotte qui doit venir, juste Charlotte, pas de quoi triturer ses clefs jusqu'à broyer le lapin blanc accroché à l'anneau. Pas de quoi vérifier sa coiffure dans le reflet et fumer quatre clopes pour les écraser à demi consumées. Heureusement, le patron du bar la reluque en souriant, ça lui fait plaisir, elle n'a plus vingt ans, faut apprécier ce qui vient.

Elle a eu ses heures de gloire, Séverine, il y a vingt ans – *vingt* ans ! Avec sa copine Sabrina, au Privilège, seule boîte de la région, elles savaient faire. C'était tellement facile, le monde entier à portée de corps. Elles existaient en chair et en électricité – jouant l'inaccessibilité. Alors qu'il aurait pas fallu grand-chose pour les cueillir autrement. Un peu de douceur et des compliments, de l'intérêt peut-être.

Leur truc, avec Sabrina, c'était de danser collé-serré, l'une avec l'autre. Classique mais efficace comme un début de porno. Cheveux dans les yeux, épaules nues, elles s'agitaient sous les lumières chaque samedi soir. Les parents de Séverine laissaient faire. Il fallait bien que jeunesse se passe. Sa mère s'inquiétait parfois de cette route à faire, de nuit : de la propriété agricole à la boîte, en zone industrielle près d'Avignon, il y avait une trentaine de kilomètres. Elle vérifiait l'état du conducteur avant de laisser partir Séverine, mais ce n'est jamais à l'aller que le conducteur est bourré. Ils se présentaient à la ferme, puant le gel ou le parfum, dents et gourmettes étincelantes, la bouche pleine de *Bonsoir madame* polis. Elle laissait partir sa fille. Son mari restait en périphérie, comme si ça ne le concernait pas. Parfois, brutal et arbitraire, il envoyait Séverine se changer, s'il la voyait trop aguicheuse. Mais la plupart du temps, il avait autre chose à faire au moment où elle filait – des caisses de pommes à recompter, un ouvrier à engueuler, la sulfateuse à retaper.

Il y en avait des histoires, pourtant. David et son cousin Jérémy s'étaient plantés un soir, au carrefour entre l'entrée d'autoroute vers Marseille et la bretelle pour Cavaillon. La bagnole avait heurté le parapet, fini sa course sur une berge du Rhône. Les pompiers avaient mis des heures pour les sortir de là. David, après six mois de coma, s'était réveillé légume. Depuis vingt ans il bave, la gueule en biais, se fait dessus sans sourciller. Au début, sa mère le promenait en fauteuil roulant, mais il poussait des cris déchirants, alors elle a arrêté. Elle le laisse devant la télé, il lâche des grognements mouillés d'excitation devant certaines émissions. Les premières années, Jérémy allait le voir régulièrement. Il avait eu plus de chance : des fractures, mais il s'en était remis. Il s'installait près de lui, fumait un joint en lui parlant un peu, pas beaucoup – des nouvelles à la con, qui s'était tapé qui, ou un film marrant. Les vannes tombaient toutes molles aux pieds du cousin, pieds tordus vers l'intérieur et chaussés de baskets neuves qui le resteraient. Il avait cessé de venir, à cause de sa tante, qui ne supportait plus de le voir. Son regard lourd de reproche et de détresse, ça le rendait fou – c'était lui qui conduisait, ivre mort. Au fond, ça l'avait soulagé, de ne plus être obligé. Séverine se souvient qu'après ça, il est parti bosser à Marseille. Elle ne l'a plus revu depuis des années. Elle l'aimait bien pourtant. Pas autant que David, mais il était sympa.

Quand les garçons venaient chercher Séverine – ceux en âge de conduire une bagnole –, ils baissaient le son de la sono au début du chemin qui mène à la propriété. Ralentissaient aussi. Faisaient taire l'excitation, l'envie de hurler à pleins poumons que ce soir, c'était leur tour de tenter leur chance et gagner le gros lot : pécho Séverine ou Sabrina. En déshabiller une sur la banquette arrière de la voiture. À imaginer des choses, ils en devenaient furieux d'euphorie barbare, et braillaient comme des putois dans l'habitacle saturé de fumée. Ils se mettaient d'accord avant, entre eux, *tu prends laquelle*, comme s'ils

47

étaient en position de décider de quoi que ce soit. En vue de la maison, ils étaient bien obligés de se calmer. Redevenaient *fils de*, adolescents contrits demandant la permission. Parfois, l'un d'entre eux parvenait à ses fins. Et l'heureux élu en parlait pendant des semaines, ou se contentait de marcher enlacé avec l'une d'elles, une main posée sur le haut de ses fesses, en propriétaire.

Et puis il y avait aussi Charlotte, qui traînait avec Séverine et Sabrina. Un trio d'enfer. Les mecs avaient plus de mal avec Charlotte, trop dure, arrivée là en cours d'adolescence. Elle était pas du coin au départ, et ils sentaient bien que leurs codes lui échappaient parfois. Avec elle, ils étaient moins seigneurs, se sentaient provinciaux. Comme les parents de Charlotte n'étaient pas très permissifs, il fallait qu'elle fasse le mur pour rejoindre ses copines. Elle était plus farouche, aussi, et si les garçons l'imaginaient volontiers nue dans leurs bras, ils tentaient moins leur chance. Elles étaient inséparables, les trois, fumant leurs tiges d'un air glamour au milieu de la piste de danse ou à la sortie du lycée, riant de tout, moqueuses comme des hyènes. Plus tard, Charlotte était partie faire des études à Aix. Ça avait tout changé.

– Tu m'attends depuis longtemps ?

– Ça va, pas trop.

Charlotte claque trois bises à sa vieille copine et s'affale sur sa chaise en soupirant. Ses lunettes de soleil lui mangent le visage, mais quand elle les retire, son maquillage est parfait. Ni trop ni pas assez, le bon goût. C'est pour ces détails-là que Séverine la déteste. Connasse. *Connasse parfaite.*

– T'es magnifique.

– Arrête, on dirait un vampire. Heureusement que je reste chez mes parents quelques jours, ça va me ressourcer.

Source de quoi, se demande Séverine. À part la Sorgue verdâtre et le marché blindé de touristes du dimanche, elle voit pas. C'est sa vie à elle, pas un lieu de détente zen. Se ressourcer, mon cul. À propos de cul, celui de Charlotte est toujours aussi ferme et prisé, le patron ne s'y trompe pas, il se pointe à leur table, affable.

– Qu'est-ce que je vous sers, les filles ?

– Du blanc. Deux verres de blanc, commande Charlotte.

Séverine avale sa salive, jugeant son propre silence et puis tant pis, rien à foutre au fond, ç'a toujours été comme ça, pourquoi est-ce que ça changerait ?

Charlotte décide, Charlotte impose, avec ce naturel qui ne laisse pas de place à la vexation, au combat. Elle a gagné d'avance. C'était souvent le cas avant, mais depuis qu'elle est partie, c'est pire. On aurait pu croire qu'elle y perdrait quelque chose, des repères ou l'avantage, mais c'est le contraire qui s'est passé. Elle a avancé et les deux autres sont restées ici, bloquées sur *repeat* comme le morceau de la Tarentule. Lorsque Charlotte revient, c'est toujours en touriste, de passage. Toujours plus ou moins célibataire. Elle a vécu quelque temps avec un de ses profs de fac, et puis il y en a eu d'autres, mais qui ne sont pas restés longtemps.

Séverine écoute Charlotte raconter sa dernière idylle, un type qu'elle a rencontré dans un café-concert, et qui danse comme un dieu. Ici, les hommes ne dansent pas. Ils se collent au comptoir et puis c'est tout. Ou s'ils le font, c'est uniquement pour se frotter à une femme, pas pour la joie du mouvement, le plaisir solitaire du corps en tournis. Ça, c'est un truc de gonzesses. En buvant son verre de blanc à petites gorgées, Charlotte mime et roule des yeux, retrouve sa gestuelle adolescente. Elle finit par demander des nouvelles, tout de même. Séverine force la voix, le rire, insistant sur son bonheur familial. Elle parle de son travail, un peu de ses filles. Hésite encore à dire, pour Céline. Et puis Charlotte plante soudain ses beaux yeux au maquillage parfait dans ceux de Séverine, les plisse légèrement en avançant le buste comme lorsque, plus jeune, elle allait énoncer une vérité ou une confidence. Lentement, dans un geste presque étudié, elle remue doucement la tête et met sa frange en désordre, du bout des doigts.

— Je sais pas comment tu fais : deux gosses adolescentes, le même mec depuis vingt ans. Je pourrais pas, franchement.

Il y a ce mouvement à l'intérieur de Séverine, une vague. Sans se départir d'un sourire éclatant de mensonge, mais sa voix tremblant légèrement dans son rire de gorge, elle explique à cette salope qu'elle aime sa vie, qu'elle n'en changerait pour rien au monde.

– Et avec Manuel, elle conclut avec un petit sourire qui se veut complice, c'est aussi animé qu'au début.

Charlotte secoue la tête. Aveugle – ou pas ? – à la cruauté de son association d'idées, elle enchaîne :

– Et Sabrina, pas de nouvelles ?

Sabrina, dernier morceau du trio de gonzesses renversantes qui faisait la pluie et le beau temps en 1992, végète à présent dans un HLM de Monclar. Sans un rond, avec trois enfants et trois mecs dans la nature, elle a dû accepter le relogement familial qu'on lui imposait. Charlotte sait bien que Sabrina passe le plus gros de son temps à écrire aux administrations des lettres de réclamation, d'insultes, des lettres folles et paranoïaques. Que les services sociaux connaissent sa vie par cœur. Que ses jolies rondeurs d'adolescente, qui mettaient les mecs en appétit, se sont depuis longtemps transformées en graisse molle, et que plus aucun mec n'a envie de la déshabiller à l'arrière d'une voiture ni même ailleurs.

– Elle va bien.

– Vous vous voyez toujours ?

– Elle habite trop loin. Avec le boulot, tout ça… On se voit moins. Plus trop en fait.

Charlotte s'anime soudain, une moue gamine sur son visage parfait.

– Tu te souviens de la fois où Thierry s'était fait choper par son père après la teuf chez Fred ?

Séverine arrache la tête du lapin, sur son porte-clefs. Elle tenait par quelques fils. À présent elle gît au milieu de la table comme un trophée sanglant.

– Faut que j'y aille.

– Tout de suite ? Sérieux ?

– Ça m'a fait plaisir.

Elles s'enlacent comme avant, des bises avec le son, et Charlotte reste en terrasse, avec son bouquin et ses grosses lunettes de soleil, comme une Parisienne.

Séverine s'éloigne en marchant lentement, elle bute sur les pavés, accélère, jure, accélère encore. Elle serre son sac contre elle. Elle se répète qu'elle ne reverra pas Charlotte. Elle dépasse la boutique de fringues qu'elle aime bien d'habitude mais qu'elle déteste, là, tout de suite. La collection entière lui semble ringarde tout à coup. La vendeuse lui fait signe mais Séverine est incapable de répondre à son salut. Elle aurait voulu vivre dans une cité tentaculaire où personne ne connaîtrait personne, une ville immense où aucune vendeuse ne se souviendrait de son prénom, où personne ne saurait qu'à trente-quatre ans, elle va devenir grand-mère. Une ville qui ne serait pas un village.

Sur le parking, sa poitrine se soulève trop fort sous ses respirations brouillonnes. Elle émet malgré elle des petits sons rauques, comme un chiot sous les coups. Les clefs lui échappent. Accroupie, elle pose une main contre le goudron, paume ouverte, souffle un grand coup. De sa main droite, elle tripote le petit dauphin à son cou. Elle repère enfin le corps du lapin et les clefs avec, les ramasse rageusement.

Une ville gigantesque où elle n'aurait pas grandi. Une ville où elle n'aurait jamais eu douze ans, ni seize, ni vingt. Une ville où elle n'aurait pas marqué chaque banc, chaque muret de son insolente jeunesse. Quand elle s'installe au volant de la voiture, Séverine ne démarre pas tout de suite. Elle caresse longuement le ventre du lapin décapité, pour retrouver son calme.

Partage des eaux

Saïd a garé sa voiture sur le parking du « Partage des eaux ». Appuyé contre la portière avant, il essuie ses mains sur ses cuisses, une fois, deux fois, encore. Elles sont moites. Pas qu'il ait peur, mais quand même. Il observe la roue en fer, moelleuse d'algues et de mousse, qui tourne dans la rivière, s'enfonce lentement à contre-courant et remonte gorgée d'eau. Il vérifie l'heure sur son portable, le range fébrilement dans la poche arrière de son jean. Les yeux plissés par la lumière déjà trop crue du matin, son estomac fait des loopings à chaque bagnole qui s'engage dans la poussière. Quand celle de Manuel débouche sur le parking, Saïd se raidit sans s'affoler. Il est là pour ça de toute façon. Le parking n'est pas encore blindé : on est dimanche, jour de marché et de brocante à L'Isle-sur-la-Sorgue. Tout le monde se gare au centre-ville ou aux abords. Ici c'est encore calme, les Parisiens vien-dront plus tard se traîner au bord de l'eau, boire un verre et comparer leurs trouvailles payées à prix d'or. Les mains de Saïd tremblent. Il les glisse dans ses poches. Les canards ont l'air de se foutre de sa gueule : une dizaine qui ricanent en se dandinant, il a envie de leur jeter des caillasses. Manuel se gare en biais devant le break, coupe le contact. Le temps qu'il s'extirpe du pick-up, Saïd a enfilé ses lunettes de soleil et s'est légèrement avancé. Les deux se font face, à distance respectable. Ils font la même taille, sauf que Manuel est taillé dans un bloc, et que Saïd est fin comme une liane. C'est lui qui prend les devants – plus facile de causer que d'affronter en silence.

– T'as quelque chose pour moi ?

Manuel marmonne un truc à peu près inaudible, mais d'un mouvement du bras il désigne l'arrière du pick-up. Saïd se détend. Il s'approche de la plage arrière, laisse le maçon soulever la bâche lentement.

– Des bricoles, annonce Manuel.

Saïd fouille, attrape une lampe. Cuivre et peau, ça a vécu ce qu'il faut pour impressionner un Américain.

– Ça, je prends.

Il continue, plus sûr de lui à présent. Le rituel n'a donc pas changé, malgré les invectives de l'autre jour. Il se concentre pour trier le bon grain des merdes sans valeur. Les antiquaires ont l'œil, et lui, à force de les fréquenter, a chopé le truc pour dénicher ce qui se vendra à des prix indécents au premier touriste parisien ou étranger. Il écarte un tapis qui part en morceaux, soulève un peu plus la bâche pour découvrir une partie d'un petit secrétaire patiné. Un sifflement lui échappe.

– Pas mal…

– Et le tapis ?

– Tu déconnes ? Il est râpé complet et puis ça vaut rien, ce genre de trucs.

– Merde, j'ai galéré pour le porter, il fait cinq mètres sur trois.

– Ben ouais, mais ça vaut rien. Le secrétaire en revanche, je prends. La lampe aussi. Attends, je mate le reste.

Saïd récupère quelques boîtes Art déco, une bassine en émail liserée de bleu. Il les charge dans le coffre de sa voiture. Manuel ne fait pas un geste pour l'aider.

– Combien ? il demande.

Le jeune homme revient vers le break, récupère la lampe et la pose avec le reste dans son coffre, sans répondre. Manuel saisit le secrétaire par la base, le tire vers lui. L'autre se retourne vivement.

– Fais gaffe, c'est fragile !

– Combien ?

Saïd croise les bras. Il a gardé ses lunettes de soleil et observe l'adversaire derrière ses verres sombres. L'envie de lui faire ravaler ses insultes de l'autre soir, de lui enfoncer la tête dans la roue métallique jusqu'à ce qu'il bouffe tellement de vase qu'il demanderait grâce en pleurant.

– D'où ça vient ?

– Comme d'habitude.

Saïd secoue la tête, esquissant un sourire de petit malin.

– La lampe et les babioles, t'as chopé ça chez des vieux. Ou des morts. Les héritiers s'en tapent, ils savent même pas ce qu'il y a dans le grenier des ancêtres, on sait ça tous les deux. Ça va partir facile, et on sera jamais emmerdés. Ni toi ni moi.

Là, il marque une pause, pour que le *toi* et le *moi* résonnent accolés, bien fort dans la tête du maçon, que les choses soient claires malgré son esprit embrumé par la connerie et l'alcool. Toi et moi dans le même bateau, s'il y en a un qui tombe à l'eau…

– En revanche… le secrétaire ?

– Quoi, le secrétaire ?

– D'où il vient ?

Manuel s'assombrit, repousse le meuble sous la bâche.

– Si t'en veux pas…

– Fais pas le con. J'ai juste besoin de connaître les risques.

Manuel regarde le petit merdeux qui fait son cirque, soupèse les risques lui aussi, tous les risques. Il déteste cette situation.

– Le même risque que le petit tableau, la dernière fois.

– Ben voilà, au moins les choses sont claires.

– Combien ?

Saïd soupire, d'un air faussement gêné. Il semble

réfléchir, hésiter. Il sort son portefeuille, tend un billet de cinq cents euros. Manuel fronce les sourcils.

– C'est tout ?

– Hé, je prends un risque. Les antiquaires aiment pas bien écouler des objets volés. Enfin… volés aux morts ils s'en foutent, mais volés aux riches bien vivants, c'est tout de suite plus compliqué.

– Et toi au milieu, tu te gaves bien, hein ?

– Je suis qu'un intermédiaire, Manuel, tu sais bien. Et puis je suis arabe, alors s'il y a un souci, je prendrai toujours plus que n'importe qui d'autre.

Manuel s'autorise à rire, un rire sans joie, tendu par l'énervement.

– Je vais te plaindre, t'as raison.

Ils se mettent à deux pour tirer le secrétaire hors du plat-bord. Saïd replie les sièges arrière de sa bagnole, pousse les autres objets pour faire glisser le meuble sans l'abîmer. Il étale par-dessus une vieille couverture à carreaux, pleine de brindilles et d'odeur de pomme.

Fort de la tractation, regonflé d'orgueil par la bonne affaire, Saïd pousse l'avantage :

– Nos petites affaires marchent bien, Manuel, t'es d'accord ?

– Ouais, marmonne l'autre.

– Ça fait six mois maintenant qu'on s'*arrange*, tous les deux, et y a jamais eu d'embrouille…

Manuel plisse les yeux, allonge le menton vers le gamin ; il attend la suite.

– Réfléchis bien avant de m'insulter, la prochaine fois.

– Tu me menaces, là ? T'es un gamin, Saïd ! Je t'ai connu tu pissais dans tes couches.

– Je dis juste ça : réfléchis bien. Je suis pas une balance, mais faut pas trop m'emmerder. Peut-être que ça intéresserait ton copain Patrick de savoir que tu te sers dans les villas. Peut-être que lui aussi, il voudrait une part du gâteau… Je dis ça, je dis rien.

– Ben dis rien, alors. C'est mieux.

Le maçon fait volte-face, s'installe au volant de son pick-up et démarre en trombe. Une nuée de colverts s'égaille devant la carlingue qui accélère avant de disparaître derrière les saules pleureurs.

Saïd reste immobile un instant, les yeux dans la poussière, un peu déçu qu'aucun volatile n'ait fini sous les roues.

Il attrape ses clopes dans la boîte à gants avant de verrouiller la bagnole. D'un pas heurté, il se dirige vers la rivière, descend trois marches et pose son cul sur la pierre en soupirant comme après un cent mètres haies. Les branches des saules dégoulinent dans le courant verdâtre. C'est si calme. Deux bras de la rivière se rejoignent pour se fondre, accélèrent dans une cascade plus large que profonde. Dans quelques heures, en plus des Parisiens en goguette, les bords de l'eau seront envahis par des grappes de gamins en maillot et baskets, qui sauteront dans la rivière en hurlant. Il en faisait partie, il n'y a pas si longtemps. Avec un tas de petits branleurs dans son genre, et les filles. Des dizaines de filles à la peau dorée ou carrément brune. Celles qu'il n'osait pas vraiment draguer à l'époque du collège, et qu'il avait perdues de vue en devenant saisonnier, et en trafiquant à droite à gauche. Ici, l'été, d'autres choses étaient permises. On était fort et intrépide, le courage se mesurait à la hauteur d'un saut, à l'audace d'un plongeon. Les filles surgissaient hors de l'eau en hurlant qu'elle était glacée, la peau marbrée de rouge, les frissons sous les serviettes. Il y avait celles qui plongeaient aussi loin que les mecs, et celles qui restaient sur le bord, frileuses, les reluquant d'un œil moqueur, évaluateur. C'était pour ces dernières que les garçons devenaient braves ; au fond, ça ne les intéressait pas vraiment, les filles trop courageuses. Sauf Saïd, justement. Il revoyait les corps graciles marchant sur la cime de la cascade, un pied après l'autre comme sur un fil pour traverser la berge, lisses et déhanchés, bras écartés pour tenir l'équilibre. Les mecs bavaient en suivant les croupes, le tissu tendu des maillots de bain. Lui aussi il en bavait, surtout après, en y repensant.

Dans ces eaux-là, on pouvait se battre pour de faux, pour se toucher : attraper un corps et le jeter à la flotte, se couler, saisir les chairs avec une ferveur exquise, jouer, faire croire que. Les fausses colères et les vraies claques – cuisses, épaules, fesses – et les petits bruits sur les chairs malmenées, les insultes. *Connard, moi aussi je peux le faire ! Ben vas-y, je t'attends* ; les rires. Saïd passait prendre Céline et Jo, elles montaient dans la voiture en maillot de bain et claquettes, un paréo croisé devant noué sur leur nuque. Lui conduisait torse nu, fier des muscles qui se dessinaient clairement sous la peau – les bénéfices secondaires du travail aux champs. L'année dernière, c'était encore lui qui les ramenait en bagnole jusqu'au lotissement.

Saïd refait le compte à rebours en visualisant les motifs des maillots de bain, année après année. L'été dernier, celui de Céline était turquoise, avec des perles entre les seins. Celui de Jo d'un vieux rose passé, une couleur étrange sur son corps anguleux, sa hargne incendiaire. Il a soudain l'impression d'être trop vieux, beaucoup trop vieux pour tout ça, il a d'autres choses à faire à présent que de sauter dans la Sorgue en short de foot, faisant hurler des gamines à la peau souple à coups de vagues et d'éclaboussures. Et ça le rend un peu triste, une tristesse douce, presque agréable. Il se demande si les frangines viendront sans lui, cette année. En fait non, il n'est sans doute pas trop vieux – il se raconte juste des histoires pour avoir l'air d'un homme.

En allumant sa clope, il voit bien que ses mains tremblent encore, mais il est plutôt content de lui en regardant la bosse sous la couverture, par le hayon. Il connaît un antiquaire qui paiera trois fois ce qu'il a filé à Manuel pour lui racheter le petit meuble. Et qui fera payer dix fois ça au premier touriste friqué : la loi du marché, l'offre et la demande.

Moby Dick

Par les fenêtres du pick-up s'engouffrent des vagues d'air chaud, qui se mêlent à du Led Zeppelin grésillant, au ralenti parfois : l'autoradio mange encore des cassettes hors d'âge – le véhicule est presque aussi vieux que son conducteur. Manuel aura trente-huit ans à l'automne, et il a l'impression d'en avoir mille. Ou vingt. Mille pour la fatigue, vingt pour la rage. Il fonce comme un dingue sur la nationale, vers le nord, à l'opposé de chez lui, cherchant des poubelles anonymes pour se débarrasser du tapis. La ligne verte des champs à perte de vue ne le calme absolument pas, pas plus que les haies de cyprès. Il voudrait rouler sans avoir à s'arrêter, bouffer de la route en écoutant ses vieilles idoles, sauf qu'il doit rejoindre les autres sur le chantier. Il devrait déjà y être, d'ailleurs. Une heure de retard mais cinq cents boules en poche : pas assez pour son orgueil, mais tout bénef quand même.

Quand il aperçoit les bennes grises sur le bas-côté, il freine sec et manque de se prendre la bagnole juste derrière, qui se déporte en faisant hurler son klaxon. Manuel lance un doigt par la fenêtre ouverte, en braillant un *Enculé !* sonore qu'il est le seul à entendre. Ça couine violemment sous les roues, les gravillons giflent la calandre. Moteur coupé, les accords de *Moby Dick* résonnent dans l'habitacle : une présence amie, presque pesante. La chaleur plombe tout. Manuel essuie son front et sa nuque avec un tee-shirt sale qui traîne sur le siège passager. Il a les boules jusqu'à la nausée.

Tirer le tapis hors du pick-up lui prend moins de temps que l'inverse, mais sous la gangue de soleil, il en bave. L'odeur puissante des poubelles en été lui pique la gorge. Fruits en décomposition, principalement. C'est vrai qu'il est pourri ce tapis, mais qu'est-ce qu'il en sait, lui, de ce qui a de la valeur ? Ces connards de touristes sont prêts à payer une blinde pour des machins vieux et moches qu'il balancerait direct aux ordures, alors pourquoi pas ? S'il avait de la thune, lui, sûr qu'il gaspillerait pas son blé dans des vieilles merdes. Le tapis se déroule en partie le long des poubelles. Manuel bloque quelques secondes sur les entrelacs rouge et noir et les franges en corde et puis tire un coup de pied rageur dedans, se détourne. En s'installant au volant, il sent le siège humide de sa propre sueur. Le volant est brûlant. Tiens, s'il avait de la thune, il commencerait par changer de bagnole. Peut-être qu'il garderait ce vieux tacot en souvenir, vu qu'ils en ont passé, des nuits à la belle sur la plage arrière, Séverine et lui. Quelques nuits inoubliables, en fait.

C'était il y a longtemps. À l'époque, il avait installé un matelas sur la tôle, et elle trouvait ça romantique de dormir là avec lui, aux Saintes-Marie-de-la-Mer ou même dans la garrigue, dans des petits coins secrets qu'il était seul à connaître. Un souvenir inaliénable de ces virées d'avant est resté imprimé en lui : Séverine aimait transpirer, et que leurs corps poisseux glissent et collent. Elle aimait cette chaleur du Sud qu'elle n'avait jamais quitté, qui brûle même la roche. Elle aimait le bruit mat des chairs qui cognent et se rencontrent. Un litre d'eau par heure d'amour, c'était un minimum. Après, Séverine se levait toujours pour pisser, et il entend encore le bruit de ses pas, du saut de la plate-forme, le son des feuilles écrasées sous ses pieds nus, la brisure des brindilles, et surtout celui de l'urine qui giclait contre le sol, à quelques mètres du pick-up. Un son qu'il n'a jamais oublié, vecteur d'excitation et de tendresse. Pour Manuel, l'intime, c'est ce bruit-là. C'était il y a longtemps. Parfois, en matant le ciel, en lui serrant les doigts, elle disait qu'elle voulait des gosses, plusieurs, sans préciser si ce serait avec lui. Ils étaient trop jeunes pour savoir. Et puis la première grossesse était venue plus vite que prévu, finalement. Peut-être bien qu'elle avait été conçue là, à l'arrière du pick-up, la petite. Sa grande.

Manuel démarre en trombe et fait demi-tour. Il roule vers Bonnieux en pensant à son business foireux, à Saïd qu'il aimait bien quand c'était un gamin – les gamins devraient rester des gamins, merde. Il pense à sa petite enceinte, au pognon qu'il n'a pas, ou à celui qu'il doit. À son père, encore, qu'il faut qu'il aille voir bientôt. Et il se remémore les nuits d'*avant*, quand tout avait du sens, que l'avenir était à lui. Il y pense comme s'il s'agissait d'un autre, se regarde avoir été.

Chemin de croix

— Tu aimerais te diriger vers quel métier, Johanna ?

Jo hausse les épaules sans insolence. Elle force son sourire en regardant la conseillère d'orientation droit dans les yeux, espérant la mettre mal à l'aise. Mais avec celle-là, ça ne marche pas. Son regard bicolore n'a pas l'air de la déranger. Jo aimerait bien s'en aller pourtant, c'est le dernier jour avant les vacances, avant qu'elle se tire du collège à tout jamais — est-ce que c'est vraiment le moment de parler de ça ?

— Tu as des capacités, tu sais, malgré ton année de retard.

Jo sourit. On est censée sourire quand on reçoit ce genre de compliments. La gratitude, tout ça. C'est vrai qu'elle faisait tache au milieu des autres collégiens cette année, il était temps qu'elle se tire. Trop grande, trop mûre, et cette brutalité qui couvait, presque scanda-leuse. Elle n'a jamais emmerdé personne, mais pas un, parmi les faces de rat qui traînaient leur Eastpak dans les couloirs du bahut, n'aurait osé lui faire la moindre remarque. Elle étale ses guibolles sous la table, tire sur son débardeur. Elle ne porte pas de soutien-gorge tellement ses seins sont petits. Sa mère l'engueule à cause de ça, c'est indécent quand même, quand ça pointe. En matière d'indécence, des choses bien pires lui écorchent la rétine, à Jo. Si les mecs veulent mater son 85 A, élèves et profs confondus, ça va pas lui filer mal au crâne, ni la faire frémir. Jo n'est pas Céline.

– Merci.

– Mais tu ne travailles pas suffisamment. Tu as redoublé une seule fois mais j'ai vu tes résultats : tu te réveilles en fin de trimestre, chaque fois. C'est futé, mais c'est dommage...

– Je sais.

– Tu as fait du théâtre cette année, c'est bien. J'espère que tu continueras.

Jo ne répond pas.

La conseillère laisse échapper un petit soupir joué :

– Là, tu entres au lycée, c'est bien. C'est même assez miraculeux, vu le... la...

– Quoi ?

– Disons que tu te débrouilles mieux que... le reste de ta famille.

Jo se balance en arrière, les pieds de la chaise grincent dangereusement. Elle se laisse couler dans le regard de l'autre, l'envahit sans ciller, de toute son hostilité muette. La conseillère fait semblant de ne rien voir et reprend :

– Mais… tu peux travailler comme tu veux, à la maison ? Tout va bien ?

– Je peux y aller, madame ? Je dois rejoindre ma sœur.

La femme secoue la tête et désigne la porte, résignée.

– File. Bel été à toi. Et bon courage, pour le lycée.

Devant le lycée technique, Jo attend Céline, assise sur le trottoir. Elle ne craint pas la chaleur, laisse le soleil frapper sa nuque jusqu'aux picotements de la brûlure. Avec un petit bâton, elle racle les graviers sur l'asphalte, invente des routes minuscules. Ses cheveux en bataille cachent ses yeux, elle les chasse en soufflant ; ses épaules pointent, anguleuses. Les lycéens sortent en grappes, le bruit des rires et des moteurs de deux-roues emplit la rue. Elle lève la tête et cherche sa sœur.

Comme un flottement autour d'elle, une rumeur sourde dans son sillage d'ex-reine du bal. Chuchotements, rires gênés, silences consternés. Les regards se croisent autour du ventre de Céline, remontent sur son joli visage encore un peu abîmé par les coups. Ils sont nombreux à commenter.

Jo observe la haie du déshonneur, la chute. Si elle ressent de la douleur pour sa sœur, elle n'en laisse rien paraître. Parfaitement immobile, elle enregistre chaque mouvement des bêtes, chaque jappement du troupeau. Et elle suit des yeux les pas de sa sœur qui remontent à contre-courant pour la première fois de sa vie. Céline marche presque au ralenti, tranche les groupes, lève le menton pour défier les connasses qui oseraient. Tous s'écartent sur son passage, lui ouvrent la route pour mieux l'observer choir. La rumeur est devenue vérité, confirmée par son silence.

Les copains de Céline enfoncent les crics sous leurs baskets, démarrent mob et scooter. Pas un pour aller vers elle, lui proposer de monter en selle comme ils ont l'habitude de le faire. Souvent, ils se disputent le plaisir. Et l'un des perdants ramène Jo. Ils sont toujours sympas avec Jo, comme s'ils pouvaient s'attirer les grâces de l'une en souriant à l'autre. Et puis elle leur fait un peu peur. Mais aujourd'hui, la valse des deux-roues prend une autre forme. Ils roulent près de Céline, gênés, tournent autour d'elle, et puis l'un d'entre eux – Lucas, peut-être – coupe sa route, l'obligeant à s'arrêter. Quelques rires. Il la veut, son explication. Mais elle continue sa longue marche vers le trottoir d'en face, vers sa sœur immobile. Un deuxième petit mec, encouragé par le premier, fait ronfler le moteur de son scooter un peu plus fort, en la frôlant : elle sursaute. Sa frayeur fait ricaner les fauves. Céline fixe la tignasse de sa sœur, prend secours dans son œil vert. Elle n'y lit rien d'autre qu'une constance, une présence de toujours. Ni jugement ni compassion. En d'autres temps, Céline aurait sans doute reçu des fruits pourris, des cailloux, des insultes. Petite sorcière qui s'est fait culbuter trop tôt, ou trop vite. Et par qui ?

Céline a enfin traversé la route, elle regarde sa sœur d'en haut, une main sur la hanche pour donner l'illusion.

— Putain, Jo, l'infirmière a prévenu les services sociaux. Le daron va encore vriller.

Jo ne répond pas, bascule en avant pour se relever. Elle jette un regard sombre sur les merdeux qui font rugir leurs bécanes.

— Il est dans le lot, le connard qui t'a fait ça ?

— Laisse tomber, putain, on s'en fout je te dis.

Jo s'avance vers Lucas qui ricane encore, le visage tourné vers ses potes. Un coup de pied dans le tibia et sa superbe s'effondre dans une chute maladroite. Il s'accroche à son guidon comme un con, alors le scoot tombe avec lui au ralenti, sous les yeux d'un public sans pitié. Le cul sur le bitume, il balbutie de rage :

— Mais t'es tarée !

— Je suis tarée, ouais. Et je peux faire bien pire. C'est pas comme si tu me connaissais pas.

Il ne trouve rien à répondre, grimace de douleur à cause de son tibia, elle a frappé fort, cette conne.

— C'est pas non plus comme si tu connaissais pas ma sœur, hein ?

L'adolescent se redresse, essuie ses mains sur son jean. Tout le monde le regarde, il le sait. Il sent sur sa nuque les regards brûlants de curiosité du public. Il ne peut pas la frapper, c'est une fille, et le public n'aimerait pas : faute de goût, manquement grave aux conventions tacites. Pourtant il en a bien envie, d'autant qu'il ne trouve pas les mots qui laveraient l'affront, lui redonneraient l'avantage. Et il veut l'avantage, que la foule reste avec lui, par n'importe quel moyen. Entre le jeune homme rieur de la fête foraine et celui qui, hargneux, se dresse face à Jo, il y a un abîme au goût de connerie crasse.

– Je la connais bien, ouais. Toi en revanche, je sais pas si un mec aura un jour envie de te sauter.

Jo s'attendait à mieux ; elle en sourit, sourcils arqués par l'étonnement, et chuchote lentement – juste pour lui, excluant la masse vorace :

– Toi, peut-être ?

Elle s'avance encore un peu plus, son visage à quelques centimètres du sien, comme pour un baiser ou une morsure. Il est mal à l'aise, ne veut pas reculer – signe trop évident de faiblesse – mais supporte mal cette proximité, et ces yeux vairons qui le fouillent, railleurs. Il la connaît depuis longtemps mais là, il a l'impression de la voir pour la première fois. Céline saisit le poignet de Jo, la tire en arrière.

– Laisse tomber, Jo. On se casse.

– T'es sûre ? Juste au moment où il allait m'embrasser.

Ça, elle l'a dit très fort, et elle a fait jaillir quelques rires... la foule pourrait changer de camp. Lucas en a des larmes de rage. Son visage accuse des petites taches rosées, signe d'un grand affolement chez lui.

Une voiture freine à grand bruit tout près d'eux. Saïd ouvre la portière comme on dégaine une arme.

– Allez viens, on y va, insiste Céline.

Le sourire de Jo s'élargit mais elle ne lâche pas Lucas des yeux. Les muscles de ses bras fins se sont tendus, tout son corps semble suspendu avant l'attaque. Un animal lisse et sombre au double regard. Même Céline en a peur, parfois. Mais là, c'est Lucas qui éprouve l'enjeu, ne sait plus, voudrait qu'elle disparaisse, ou bien lui, n'importe quoi pourvu que cesse le face-à-face. Il commence à cligner des yeux, sa jambe lance des petites pointes de douleur. Jo recule lentement, il a l'impression qu'elle sait quelque chose qu'il ne sait pas, qu'elle l'a vu faiblir, qu'elle a gagné. Il balbutie :

– C'est pas moi de toute façon.

– Dégage, bâtard.

Dans un mouvement lent, elle se tourne finalement vers Saïd qui s'est approché sans intervenir. Lucas a tressailli sous l'insulte, mais il n'est plus en état de réagir. Et puis la présence de Saïd l'autorise à être moins courageux. Il les a toujours protégées, les frangines, tout le monde le sait, personne n'aurait l'idée d'aller le provoquer. Et puis c'est un Arabe, si ça se trouve il a des contacts avec des terroristes, avec tout ce qui se passe on n'est plus sûr de rien, faut faire gaffe avec eux, il est peut-être capable de faire sauter le bahut, comment savoir.

Céline est déjà dans la voiture, genoux remontés, pieds nus posés sur le tableau de bord. Jo s'affale sur la banquette arrière. En soupirant, Saïd démarre et relève ses lunettes de soleil pour faire un clin d'œil à Jo dans le rétroviseur.

– Tu lui as fait peur.

– J'espère.

La petite foule se délite derrière eux, commente, entoure Lucas qui chasse tout le monde d'un geste rageur.

La voiture prend de la vitesse, Saïd tranche les ronds-points et les filles se laissent basculer de droite et de gauche, habituées à sa conduite. La voiture quitte la petite ville, attaque la route mal goudronnée qui mène au village : lotissements en construction depuis dix ans, centre commercial, champs de pommiers. Jo avale le poison familier d'un paysage trop connu. Sa nonchalance n'est qu'une façade ; en elle se disputent amour et dégoût pour ces chemins mille fois pris.

– Je vous ramène mais j'entre pas, lâche Saïd.

Céline se crispe.

– Je suis désolée.

– C'est pas ta faute. J'ai juste pas envie de m'embrouiller avec ton père. Ou que son pote Patrick me chauffe un peu trop, ça risque de partir en couille.

Prise d'un haut-le-cœur, Céline sursaute et s'agrippe à la poignée.

— Arrête-toi.

Les roues mordent le talus et Céline descend en vitesse, se plie au-dessus de l'herbe mais rien ne sort. Elle respire à grandes goulées, marche en lisière du goudron, secouant les mains le long de son corps.

Dans l'habitacle, Jo s'avachit sur la banquette.

— Putain le cinéma…

— T'es dure.

— Ça te pose problème ?

— Fais comme si j'avais rien dit. Mais tu ne me fais pas peur, cow-boy.

Il relève le bord de son chapeau imaginaire avec ses doigts en flingue. Jo consent à sourire. L'enfance les rattrape toujours, si tant est qu'elle soit vraiment derrière eux, et non accrochée à leur cou comme une tique gorgée de sang sur l'échine d'un chien.

— Bouge ton cul ! gueule Jo par la fenêtre ouverte. Gerbe, accouche, fais ce que tu veux mais vite. On crève de chaud !

Céline tend un majeur dressé vers sa sœur en même temps qu'elle crache un filet de bile dans le fossé. Elle ramasse ses cheveux d'un seul côté pour éviter de baver dessus. Jo se couche sur la banquette arrière pour s'étirer en longueur. Elle attrape ses seins en coupe à travers le débardeur. Caresse la pointe avec les pouces en jouant l'allumeuse, un rôle qui ne lui ressemble pas – et ça rend le geste encore plus séduisant.

– Franchement, tu les trouves trop petits, toi ?

Saïd allume un joint sans se retourner, tire deux lattes très lentement, son visage tendu vers la route ; on pourrait penser qu'il n'a pas entendu la question ou qu'il fait semblant, si ce n'est ce sourire radieux qui le rend presque beau. Céline revient à ce moment-là, s'installe en soufflant bruyamment et claque la portière contre elle. Elle lisse ses cheveux plaqués de sueur aux tempes en s'excusant, mais personne n'y fait attention.

Saïd se retourne avec son sourire un peu niais toujours collé au visage. Excluant Céline de l'échange, il tend le joint à Jo.

– Franchement ? Ils sont parfaits.

Famille

Manuel caresse la broderie sur l'écorce du melon. Il suit du bout des doigts les traces en relief, tente un chemin – presque rêveur – puis s'interrompt, saisit le fruit, le soupèse, le fait rouler dans sa grande main avant de le poser sur la table pour le trancher d'un seul coup de couteau. Le jus sucré déborde, coule sur la table. Il le divise encore, vide dans une assiette la cavité centrale avec le même couteau. Ça lui poisse encore un peu plus les mains.

– Belle couleur.

Le beau-père ne répond pas. Évidemment que la couleur est belle : c'est les siens, ses fruits, sa terre. Orange sombre, la chair sucrée. Manquerait plus qu'ils soient pâlots ses melons, avec un goût de flotte.

Manuel redoute ces dimanches-là : repas de famille chez les parents de Séverine – impossible de couper à l'humiliation du devoir, au rappel de la dette. Même dans le silence ou dans les échanges tout autres, Manuel sent peser sur lui le regard qui condamne, le laisse sur le carreau, couturé d'impuissance. Peut-être que ça se joue dans sa tête, au fond il n'en sait rien, le vieux ne dit pas grand-chose mais il lit dans le regard du beau-père un gris terni de déception, une ombre qui charge Manuel. Pas assez bien. Pas assez entreprenant. Un incapable qui baise sa fille unique. Qui sent le béton, le crépi, les maisons des autres. Le beau-père met les mains dans la terre pourtant, c'est pas un bourgeois ou un intellectuel, il a le goût des gestes, du savoir-faire que l'on fait bien. Les mains dans la terre, cela dit, c'est plus rare avec le temps, il a des ouvriers, il se fait vieux. Seulement c'est sa terre, c'est pas comme construire des maisons pour les autres sans avoir les moyens de payer la sienne. Des problèmes d'argent, ils en ont eu, eux aussi : les nouvelles réglementations, les frais, les prix qui chutent... paysan c'est pas le rêve, non plus. Mais il a su mettre de côté, en patriarche, ronger sur le quotidien, année après année, pour n'avoir besoin de personne, lui.

Et puis aujourd'hui, c'est un dimanche particulier. En plus de la gêne habituelle, il y a cet énorme morceau d'échec au milieu des assiettes : Céline et son ventre, Céline en *fille mère*, c'est encore ainsi qu'on les nomme par ici, les filles qui couchent trop tôt avec n'importe qui. La mère de Séverine pince les lèvres depuis leur arrivée, pas un mot n'est sorti de sa bouche. Mais ce n'est pas sa petite-fille qu'elle observe, ni celle-là ni l'autre, et pas plus son gendre avide d'une impossible revanche. Elle regarde sa fille, seulement sa fille, comme si elle guettait quelque chose que personne ne devine, ou qu'elle disait des mots durs avec ses yeux. Elle passe de l'intérieur sombre au jardin aveuglant de lumière blanche, chargée de bouteilles, de saladiers. Ses mains s'agitent, sèches et brusques – à son image. Séverine ignore superbement le regard de sa mère, ses agitations pressées. Elle fume entre chaque plat et ne se traîne en cuisine que lorsque sa mère n'y est pas. Un ballet subtil, une danse de dupes.

Manuel boit un peu trop vite.

– Elles peuvent travailler ici cet été, lâche le grand-père, un coup de menton vers Céline et Jo.

La première picore des morceaux de melon du bout de son couteau. La deuxième croque dedans, du jus orangé plein le menton.

Autour d'eux, tout crisse sous un soleil jaune d'œuf. Le chant incessant des cigales leur met les nerfs à vif, agace leurs tympans comme des acouphènes. Le chien bave dans la poussière, écrasé de chaleur au bout de sa chaîne. C'est un vieux dogue aux paupières rouges et tombantes, aux yeux liquides. Il lève la tête brusquement, pour rien, pour un bruit qu'il est seul à entendre – un rongeur peut-être, ou un coup de fusil très lointain, les chasseurs affectionnent le coin, toutes périodes confondues. On n'est pas en Corse mais ici aussi on aime bien jouer à l'abruti qui ne savait pas, on paye des coups aux gendarmes pour qu'ils soient plus coulants, on marche en treillis pour buter de la grive et du lapin, même hors des périodes prévues pour. Rien de bien impressionnant, c'est rare qu'on se fasse un cerf, et puis pour le coup on prendrait vraiment cher. Le chien lance trois aboiements secs, sa gueule baveuse levée vers la tablée.

– Ta gueule !

C'est le grand-père qui a crié. Le chien gémit et se couche sur sa chaîne en faisant claquer sa mâchoire dans le vide.

La grand-mère se tourne vers les filles.

– Johanna est trop jeune. À quinze ans, elle peut encore aller se baigner et profiter des vacances. Toi, Céline, tu peux travailler avec moi. Pas aux champs évidemment, vu ton état.

Première évocation publique. Le reste a été dit dans l'alcôve de la téléphonie mobile, de fille à mère, relayé oralement au mari, entre la soupe et la daube, un soir d'il y a deux semaines.

– Je cuisine pour les saisonniers. Tu m'aideras.

Céline affiche un pauvre sourire pour répondre à sa grand-mère. Elle n'a pas vraiment le choix, de toute façon. Ça se resserre autour d'elle mais elle a déjà bossé ici, à la propriété. Elle a aidé aux champs : cerises, melons, et vendanges le week-end, parce que le raisin, c'est au début de l'automne, et qu'il faut bien aller en cours. Mais c'était différent. Elle comprend que quelque chose a changé, irrémédiablement, et ça picote dans sa gorge. Elle aurait aimé aller se baigner elle aussi, traîner au centre commercial de Cavaillon, piquer des rouges à lèvres chez Yves Rocher, monter à l'arrière des scooters, courir dans la nuit chaude. Là, c'est comme une double peine. Le ton de sa grand-mère est polaire, la proposition sans appel, ç'a toujours été comme ça. Elle n'a pas la douceur, la grand-mère. Pas plus que sa fille. Peut-être qu'elle l'a eue un jour, on ne sait pas.

— Moi je voudrais aller au festival, annonce soudain Jo.

Alors Céline se remet à respirer, reconnaissante envers sa sœur pour avoir déplacé l'attention sur quelqu'un d'autre.

— Le festival d'Avignon ? s'étonne la grand-mère.

— Oui.

— Qu'est-ce que tu veux faire là-bas ?

Tous les regards se tournent vers Jo, pleins de méfiance. Céline a envie de serrer le genou de sa sœur sous la table pour cette incroyable diversion ; une onde de gratitude la submerge.

— Ils jouent une pièce de théâtre que j'ai étudiée au collège.

Les visages se détendent un peu. Séverine découpe des lamelles de carton dans son paquet de blondes.

— Du théâtre ? Tu veux vraiment aller au théâtre ?

— Elle aime le théâtre, la petite ? demande le vieux.

Manuel n'aime décidément pas cette sensation qui perdure et s'amplifie de jour en jour : celle de perdre pied, de comprendre de moins en moins les choses autour de lui. Sa femme, ses filles. Il ne maîtrise plus rien.

Du théâtre, et puis quoi encore ?

Séverine secoue la tête.

– Avignon c'est trop loin. Avec mes horaires, je peux pas t'emmener là-bas.

– Je prendrai le bus. Ou je demanderai à Saïd de m'accompagner.

Elle se tourne vers son grand-père.

– Il aura bien quelques jours de congés, non ?

– Qui ça ?

– Saïd.

– Le fils de Kadija ? Le grand bicot qui quitte jamais ses Ray-Ban ?

Elle acquiesce sans sourire.

– Tu le fréquentes ?

Ça n'a pas l'air de réjouir le vieux. Du coup Manuel est content. Séverine s'agace.

– Ça fait seize ans que les filles sont amies avec lui, papa. Ils habitent à cinquante mètres de chez nous.

Le grand-père plisse les yeux, se ressert un verre de rouge.

– Kadija est une bonne travailleuse.

Manuel avance son verre pour que le vieux le remplisse, mais l'autre ne semble pas s'en apercevoir. Il repose la bouteille sans délicatesse entre les assiettes. De grosses guêpes s'agglutinent au creux des plats ou se posent, voraces, sur l'intérieur des écorces de melon.

– Les Marocains travaillent bien. En général.

– Ah oui ? demande Manuel, tendu et ironique, déjà saoul.

Il saisit la bouteille que le vieux a abandonnée.

– Moins d'emmerdes qu'avec les Algériens.

– Sûr !

Manuel valide à coups de menton en versant le rouge dans son verre – trop vite, le vin éclabousse sa main.

Le grand-père n'entre pas dans la brèche. Il n'aime pas les Arabes – qui les aime, par ici ? –, mais aujourd'hui il refuse de glisser avec son gendre vers un accord clanique, une familiarité qu'autorisent presque vingt ans de dimanches et les cadavres joufflus de ventoux qui jonchent la table. La grossesse de la petite, ça ne passe pas. On ne laisse pas faire ça, quand on est père de famille. Qu'elle se fasse sauter, passe. Mais alors que l'enfant de salaud qui l'a mise en cloque l'épouse, nom de Dieu.

Manuel porte sa main à sa bouche, aspire les gouttes de vin qui coulent vers son poignet. Il se ratatine en dedans. L'Histoire remonte, forcément. En même temps que la rage, contenue encore, sournoise. Le vieux dirait presque du bien de cette petite merde de Saïd, juste pour le faire chier, bien lui faire sentir qu'il vaut pas mieux qu'un Arabe.

Ça n'a pas changé, malgré le camouflage, malgré le rejet des vieilles idéologies familiales, malgré Séverine et même malgré les Arabes. Rien n'a changé, Manuel est resté pauvre. Un pauvre con, qui récolte le mépris du père de sa femme. Du blé grâce à la terre. Ah, il peut faire le malin, le propriétaire terrien. Du solide, du vivant. Et il n'a même plus besoin de se salir les mains. Le sang des saisonniers, les fruits de l'héritage et d'une région crevée de soleil. Dix ancêtres au cimetière du coin. Elle est d'ici, Séverine, mais lui ne le sera jamais. Lui c'est un sans-terre, et il le restera. Il avait espéré que la malédiction s'arrêterait avec ses filles, qu'elles auraient l'intelligence, comme lui, d'épouser des gars d'ici, pour que jamais leurs enfants ne soient traités d'étrangers.

Il sent bien le reproche, dans le silence du vieux. L'enfant de salaud qui a mis la belle Séverine en cloque il y a dix-sept ans, c'était lui. Mais s'il avait refusé de l'épouser, le vieux aurait sorti le fusil. Comme une poule faisane, la tête de l'Espagnol aurait explosé en vol, personne n'a jamais eu le moindre doute là-dessus.

Alors la haine remonte, et les soupçons avec, le rongeant comme les capricornes s'attaquent aux poutres.

Sa fille, sa fille chérie, si prometteuse par sa beauté – un reflet de sa mère en mieux. Il la regarde repousser les mèches sur son front, sa grande. La question prend forme en images, et la rage monte encore d'un cran, à imaginer ce petit bâtard de Saïd faire des trucs à Céline. L'imaginer se foutant de sa gueule en lui rachetant ses larcins une misère, et gagnant un pognon monstre chez ces voleurs d'antiquaires. Se foutant de sa gueule, oui. Rigolant bien. *Salaud !* Plus un gamin, non, des épaules larges et musclées, des épaules d'homme. Se foutant de sa gueule. Gagnant plus de fric que lui. Baisant sa fille aînée. Les images, dans sa tête, prennent des allures de cauchemar.

L'après-midi s'installe, lourde et jaune. Heureusement, après les cafés, le vieux finit par se lever pour aller faire sa sieste, mettant fin au supplice.

Manuel titube un peu en s'approchant du pick-up, alors Séverine lui pique les clefs des mains sans qu'il ait le temps de réagir.

– Je conduis, t'as bu.

Sans voir la hargne tenace dans les yeux de Manuel, ses mains qui tremblent, Séverine prend le volant. Elle démarre comme on s'échappe, fuyant le regard maternel. Manuel grimpe à la place du mort, laissant émerger son coude par la fenêtre ouverte tandis que sa femme manœuvre le pick-up dans les gravillons. Il est soulagé que le vieux ne le voie pas monter côté passager. Il n'a pas la force pour une engueulade, et Séverine sait être coriace, surtout avec sa mère dans les parages. Les filles, avachies sur la banquette arrière, se donnent des claques pour gratter un peu plus de place, étalent leurs jambes l'une sur l'autre jusqu'à se tirer des coups de pieds nus, comme des gosses qu'elles sont. Manuel voudrait dormir lui aussi, maintenant. Rentrer et dormir l'après-midi entière. Le reste du monde peut bien fondre sous l'épaisseur d'un mois de juillet déjà caniculaire, lui ne veut plus penser à rien – dormir seulement, dormir, faire taire la montée de lave qui lui fait un mal de chien. Il faut qu'il aille voir son père. Mais pas aujourd'hui, non. Il ira plus tard. Il ferme les yeux.

L'ennui

Johanna marche sous le soleil. Elle est née de cette chaleur, d'un amour brusque, un peu heurté, un soir de vin et d'insomnie moite. Elle est née comme un hasard, comme Céline mais un an plus tard. Son arrivée au monde a fait moins de remous que celle de sa sœur : la jeunesse de Séverine n'était plus aussi flagrante, elle était déjà fichue pour les déhanchements au Privilège. Alors c'était dans l'ordre des choses, finalement, ce retour de couches. Les gens s'attendaient même à ce que ça continue, après tout le père était espagnol, elle allait enchaîner les mômes, année après année ; espagnols ou arabes, c'était toujours des immigrés qui vous pondaient des gosses à qui mieux mieux. Les yeux bicolores de la fillette n'ont pas été repérés tout de suite. Le toubib de la PMI n'a rien décelé, en même temps il regardait surtout la mère pendant l'examen de sortie de l'hôpital, avec un rictus qui se situerait entre l'effarement – deuxième enfant à peine majeure – et la fascination : elle était toujours belle, Séverine. C'est venu plus tard, vers un an à peu près : l'iris bleu a viré au gris-vert ; on disait qu'elle avait dû voir quelque chose que ses yeux d'enfant n'avaient pas supporté, on disait que c'était une punition, on disait que c'était un œil magique, qui voyait ce que d'autres ne voyaient pas ; que son iris s'était tourné en dedans et qu'elle en avait été changée. On disait que c'était bizarre, que ça augurait une catastrophe à venir. Ici, tout ce qui sort un tant soit peu de l'ordinaire est commenté, décortiqué, devient sujet. Dans le viseur des langues de comptoir, prophétiques et avinées, pas d'expédient sauf l'habitude. Seule l'habitude peut rendre banal ce qui ne l'est pas.

Johanna, elle, bénit cette particularité. Peut-être, pense-t-elle parfois, que c'est cette étrangeté qui l'oblige à se tourner vers ailleurs, à désirer fuir, à imaginer des mondes qu'elle ne connaît pas encore. Bercée par l'illusion de la normalité, elle aurait peut-être ressemblé à sa sœur.

Elle en rit à gorge ouverte, là, tout de suite, comme une folle qui s'autorise. De toute façon, il n'y a personne pour l'entendre. Immergée dans la garrigue, elle arpente et cherche l'ombre trop rare des petits pins gluants de sève, jette des cailloux devant elle, s'emmerde un peu. Elle connaît bien : ici, l'ennui est un art, presque un art de vivre, et son ennui à elle pue l'attente. Elle n'a pas envie de voir les copines du collège, ni la bande du village – elle a encore la haine contre Lucas, Enzo, ces petits connards dont elle lit les motivations avec une lucidité étonnante. Céline n'est pas là pour traîner son ennui avec le sien, et ça lui manque. Ça fait si longtemps que, malgré leurs différences, elles passent leur vie collées.

Jo cherche des issues. Il faut qu'elle soit patiente, et elle n'a pas l'âge de la patience, ni le tempérament. C'est d'explosions dont elle rêve, d'événements grandioses, de guerre nucléaire. Elle n'est qu'attente pernicieuse, grêlée d'angoisse. La grossesse de Céline n'a finalement rien d'un véritable changement, et c'est encore sa sœur, au centre des regards. Mais quelque chose couve, bourdonne dans l'air épais, les silences familiaux. Elle le sent, agacée comme une dent sous le raisin vert, en alerte.

Elle brise les pierres blanches, s'accroupit pour effriter leur forme contre d'autres roches. La lumière réduit à néant le moindre trou d'ombre. Jo envie les plus petites bêtes, les insectes bruissants. Elle rêve de foutre le feu à toute cette sécheresse. Qu'il ne reste rien, que la terre brûlée se sauve en crevant. Et si l'incendie s'étire jusqu'à embraser les villas, elle veut bien qu'il détruise aussi leur lotissement. Elle dansera de joie sur leurs cendres mêlées.

En dégringolant le long d'un talus sauvage, Jo s'écorche pieds et chevilles dans les ronces, atterrit dans un champ d'oliviers. Elle longe une rangée d'arbres pour rejoindre la route et le lotissement. Il n'y a rien à faire, ici. Sans deux-roues, sans bagnole, c'est la mort.

Même pour aller à Cavaillon – pour quoi faire, d'ailleurs ? – il faut un véhicule. Elle aurait pu demander à Saïd de l'emmener au Partage des eaux, ils auraient pu se baigner. Mais affronter la horde de baigneurs ne la branchait pas des masses. Au fond, c'est peut-être ici qu'elle se sent le mieux, à errer dans la campagne comme un animal du Sud, un lézard ou quelque chose du même genre. La terre retient encore ses explosions, l'ancre malgré elle dans ce pays détesté si souvent. La terre qui étend son pouvoir diffus jusque dans ses dégoûts. Pas la terre que l'on possède mais celle qui l'a vue naître, qui emprisonne comme un berceau.

Elle rejoint le lotissement par la route, claquant des tongs sur le bas-côté mal goudronné, ses cuisses nues brunies par un soleil sans nuances, chaudes et lisses comme le dos d'une loutre. La maison est vide, elle le sait et ne s'arrête pas. Elle pousse un peu plus loin. La porte est ouverte, alors elle entre chez Saïd. Par contraste, elle met du temps à faire le point dans la pièce sombre ; la lumière du dehors l'éblouit encore. Enfin, elle devine plus nettement Saïd, penché au-dessus d'un tas de tissu où reposent une chatte et une portée de chatons. C'est vrai que l'animal noir se traîne depuis des semaines, grosse comme une outre, le ventre grouillant. L'autre jour, Jo l'a vue se casser la gueule quand elle essayait de sauter sur le muret qui clôture le jardin. Elle a dû mettre bas la nuit dernière, les chatons sont minuscules. Le jeune homme lève la tête pour lui sourire, lui fait signe d'approcher. Deux pas et Jo s'immobilise, le regard vissé sur le panier. L'écœurement soudain lorsqu'elle comprend, le dégoût pour ce qui va suivre, mais l'attraction troublante de la scène l'oblige à regarder. Elle s'assoit du bout des fesses sur une banquette dorée.

Quand Saïd saisit un des chatons dans ses grandes mains brunes, la mère lève ses yeux fendus vers l'humain qu'elle connaît bien, un mélange de confiance absolue et de supplication. Le chaton qu'il vient d'attraper piaule dans la paume de sa main. Il est gris, un gris doux, presque bleu, et ses yeux encore aveugles s'ouvrent et se ferment en essayant de saisir le monde. Ses cris dérisoires découvrent de minuscules canines déjà tranchantes. Jo peut presque sentir son petit cœur animal cogner contre les doigts de Saïd, les côtes saillantes sous la peau fine. Elle se lève pour suivre le jeune homme, incapable de quitter des yeux la boule de poils brûlante de vie.

– T'es pas obligée de regarder.

Mais elle ouvre la porte de la salle de bains, le laisse passer et s'y engouffre après lui.

Au fond de la baignoire, trois frères du petit gris s'étalent mollement sur une serviette éponge : deux noirs et un rouquin. Jo a un mouvement de recul.

– Pourquoi tu regardes, si ça te dégoûte ?

– Ça me dégoûte pas.

Elle s'agenouille devant la baignoire, se penche vers

les petits cadavres, fait courir ses doigts sur le velouté à peine déployé de leur fourrure. Ils sont si petits que la largeur de son pouce va d'une oreille à l'autre. En caressant une tête, d'un noir brillant, elle se dit qu'elle pourrait briser le crâne minuscule en appuyant un peu plus fort.

– T'en fais quoi, après ?

– Qu'est-ce que tu veux que j'en fasse ? Je les jette.

Saïd plaque le coton imbibé d'éther sur le museau du chaton. L'odeur a imprégné la salle de bains comme les vieux hôpitaux. Son torse nu occupe l'espace, ses Ray-Ban de frimeur relevées sur son front. Sa peau brille, des gouttes de sueur perlent le long de ses bras. Jo se mord doucement l'intérieur des joues ; elle a du mal à soutenir l'odeur écœurante de l'anesthésiant.

– À la poubelle ?

– Ben oui, à la poubelle. T'as une autre idée ?

– Je sais pas. Tu peux les enterrer, non ?

Il la regarde au travers du miroir, l'ironie dans le sourire, le chaton crevé toujours dans sa main.

– Tu veux qu'on leur fasse un petit enterrement avec une boîte à chaussures et des fleurs ?

Elle sourit de travers sous la moquerie, déteste être prise en flagrant délit de sensibilité.

– Je trouve juste ça dégueulasse, dans la poubelle. Avec la chaleur, ça se décompose et après ça pue.

Saïd pose délicatement le quatrième chaton au fond de la baignoire.

91

– Je lui en laisse deux. Sonia en file un gris à une copine, et ma mère veut bien en garder un.

Il hausse les épaules en disant ça.

– Personne d'autre veut le faire, tu sais.

Dans l'odeur d'éther, penchés au-dessus des chatons morts, leurs bras nus se touchent.

– On fait autre chose ?

Saïd pose sa main sur la cuisse de la jeune fille en disant ça, remonte vers l'intérieur, vers son short trop serré pour qu'il puisse aller là où il veut.

– Ton père est pas là ?

– Parti au bled avant-hier. Il revient pas avant fin août.

Il glisse une main sous son débardeur, sur la peau toute chaude de son ventre, attrape un sein.

– Tes frangins ?

– Il a pris Fouad et Nordine avec lui. Sonia est chez une copine.

– Qui ?

– Sophie.

– Cette pute ?

– Pourquoi tu dis ça ?

Il avance sa bouche vers le mamelon dressé au centre d'un tout petit sein. Elle le repousse doucement.

– Je l'aime pas.

Saïd se marre.

– Toi, vaut mieux pas t'avoir en face.

Il tente encore de coller sa bouche à son sein.

– Ça dépend.

Relevant la tête, il découvre ses belles dents pour lui sourire. Elle caresse son cou du bout des doigts, il tire sur la bretelle du débardeur jusqu'à dénuder son épaule. Elle sait pas trop ce qu'elle veut, mais quand il descend avec sa bouche le long de son ventre, elle se redresse, enfin décidée.

– On va chez moi ? Y a personne.

– Si ton père se rend compte...

– T'as peur ?

– C'est pas ça.

– C'est quoi, alors ? T'as un truc avec mon père que je devrais savoir ?

Une mèche châtain retombe en bataille sur son œil bleu. Le vert défie le jeune homme.

– Mais non, y a rien. C'est juste que chez toi, je préfère pas...

Il sent qu'elle le prend mal, alors il la dévisage, un peu hagard, quelques secondes sans répondre. Il y était presque, bordel. En remontant sa bretelle avec un doigt elle s'écarte et se lève, une moue méprisante aux lèvres.

– Non, t'as raison. C'est tellement mieux de se tripoter à l'arrache dans une borie qui pue la pisse. Ou enfermés dans une salle de bains pleine de chats crevés.

– Jo...

Elle se campe, à peine cambrée, une main sur le lavabo, l'autre sur sa hanche.

– Laisse tomber. Je me casse.

– Non mais attends.

Il se redresse, tente de l'enlacer. Elle se dégage d'un coup de reins, bras tendu, main ouverte.

– Dégage, t'es trop nul.

Jo sort de la salle de bains, dents serrées. Il cavale derrière elle.

– Attends, je te dis !

– Dans tes rêves ! Touche-toi bien en pensant à mon cul. La prochaine fois, tu réagiras plus vite.

Elle émerge à la lumière. Les gens sont petits, le monde sans limites.

Du café dans un mazagran

Chaque matin, Séverine dépose Céline chez ses parents. Elle n'entre jamais. Les dimanches, c'est bien suffisant. Il n'y a que trois kilomètres entre le lotissement et le mas des grands-parents, mais Céline ne peut pas prendre le vélo enceinte, à moins de vouloir perdre l'enfant, ce qui, au fond, pourrait être une solution. Seulement il risque de vivre malgré ça et de naître mal foutu, ou idiot peut-être. Personne n'a envie qu'il arrive à Céline la même chose qu'à la belle-sœur de la cantinière, celle qui a eu un problème au sixième mois, coincée avec son môme débile, une face demeurée sur un cou de tortue, plissé, répugnant. Pas d'école, des séjours en centre spécialisé pour souffler un peu mais la vie morte, terminée, pour seule occupation son petit monstre baveux, hurlant à chaque visite. Alors Séverine fait le détour avant d'aller bosser.

Juillet s'étire. La grossesse de Céline est maintenant bien visible, comme si l'acceptation avait autorisé son corps à déployer ses formes. Elle se fait encore des illusions, mais c'est fini : son ventre la range désormais parmi les intouchables.

La propriété des vieux se dresse entre un champ de cerisiers et les vignes. Rien d'impressionnant, pas de piscine ou de véranda cossue, de transats moelleux. De la pierre et des arbres, des machines boueuses dans le hangar, des outils terreux posés contre le mur côté ouest. Austère, inchangé depuis des années, depuis l'enfance de Séverine. Un tracteur rouge est garé sous les branches d'un énorme tilleul. L'autre, celui que son père utilise pour les semailles, n'est pas là. Et la grande table trône sous la fenêtre, la grande table des repas familiaux.

Ce matin, Séverine accuse un sérieux coup de fatigue, alors quand sa mère lui fait signe d'entrer, pour la première fois depuis le début de l'été elle se dit que oui, ce serait peut-être agréable, avec sa mère et sa fille, dans la cuisine de l'enfance, de boire un café trop clair dans un mazagran.

Elle gare la voiture sous le tilleul, près du tracteur. Les ouvriers agricoles sont déjà là, assis çà et là aux abords du mas. Ils fument, discutent un peu avant le travail. Une dizaine, en débardeur, surtout des habitués, jeunes ou moins jeunes. Quelques femmes, toutes arabes, dont Kadija. Deux étudiants, pas plus. Le vieux a toujours privilégié les professionnels. Il n'a pas l'âme d'un tuteur, et puis ça l'emmerde, les gamins qui font ça en dilettante. Ceux-là ne peuvent pas comprendre les fonctionnements d'une équipe ; ils s'adaptent, mais n'en saisissent pas la complexe harmonie, les nécessaires enjeux de pouvoir. Du genre à le regarder de travers quand il passe un savon à un type de soixante berges un peu lambin ou qu'il vérifie les poches des Gitans lorsqu'un outil manque. Qu'ils retournent à leurs amphis et qu'ils grattent des bourses pour payer leurs studios. Hors de question que ses récoltes soient l'espace d'expérimentation exotique de petits merdeux d'intellectuels. Il préfère encore les Arabes et les Gitans. On se comprend mieux, même dans la haine.

Quand Séverine et Céline passent devant les ouvriers, les bonjours fusent. Ceux du coin sont contents de voir Séverine, ils l'ont toujours connue. Elle ne s'attarde pas pour autant, mais elle répond bien sûr, claque des bises. Pendant que Céline échange quelques mots avec Saïd, Séverine se dessine un sourire spécial pour Pascal qu'elle aime bien, avec qui elle est sortie en seconde, mais avec sa fille dans son sillage, la mère dans la cuisine et le taf qui l'attend, elle n'a pas envie de traîner. Et puis ce petit vertige des instants mille fois vécus, départs et retours, visites familiales : elle ne sait pas ce qu'elle pourrait en faire. La plupart du temps elle les subit, tout simplement, en essayant toutefois – et vainement – de les ignorer.

Elles entrent dans la maison.

Céline embrasse sa grand-mère. Séverine embrasse sa mère. Du bout des lèvres, tout ça. Parce que la pudeur, tout de même.

La mère de Séverine remplit un thermos de café, le tend à Céline, qui s'en saisit et fait demi-tour pour aller servir le café aux ouvriers. Sans regarder sa fille, la vieille lave ses mains dans l'évier en grès brun. Elle met un temps considérable pour les sécher. Séverine se demande pourquoi elle est entrée, pourquoi cette faiblesse idiote, et se souvient ; elle va chercher deux mazagrans dans le placard et les pose sur la toile cirée. Elle sent la petite mollesse sous la toile, la nappe de caoutchouc censée amortir les coups pour protéger le bois laqué d'une table trop massive. Séverine rêve de lignes épurées et de tables en verre, sachant bien que même chez elle, elle n'a pas su assumer de nouveaux goûts. Elle appuie du bout des doigts dans la matière, résistant à l'envie d'y planter les ongles.

— Arrête ça, souffle la mère, qui verse le café et s'assoit en face de sa fille.

On entend les rires, dehors, plus vifs depuis que Céline a rejoint l'équipe, et sa voix.

— Elle s'en sort bien. Elle sait y faire, la petite.

Comme Séverine ne répond pas, la vieille ajoute :

— Elle se fait respecter, faut pas croire.

— Je crois rien.

— Tu crois que tu vaux mieux qu'elle. Tu crois que tu vaux mieux que tout le monde.

Une grande fatigue saisit Séverine, plus grande que celle causée par les carences de sommeil, le manque de quiétude qui la laisse parfois hagarde, au cœur de la nuit. Elle lève les yeux vers ceux de sa mère, bleu clair et durs. Elle soupire. La vieille regarde la pendule.

– Tu commences à quelle heure, ton travail ?

– Dans une demi-heure.

Un silence, pour évaluer le petit paquet de minutes, s'il reste le temps de cracher trois vérités, saloper le goût du café.

– T'étais pas beaucoup plus vieille, je te rappelle.

– Et alors ? T'as poussé des cris de joie, peut-être ?

– Non.

– T'étais fière ? T'étais contente ?

La vieille ne répond pas, son sourire ridé figé en masque.

– C'était comme ça, c'est tout.

– C'était comme ça, alors ça peut continuer d'être pareil, hein ?

– Qu'est-ce que tu peux y faire, maintenant ? Il va pas remonter dans les couilles du père, cet enfant.

Son regard fouille Séverine, cherchant une réponse que personne ne détient, sauf Céline.

– On sait pas qui c'est. Elle veut pas le dire. Et tu sais quoi ? Si ça se trouve, elle a raison. Peut-être qu'il vaut pas la peine d'être connu.

– C'est pas la question, ça, tranche la vieille.

– C'est quoi alors, la question ?

– Le déshonneur, ma fille. Les bouches qui parlent, les voisins. Le petit, tu y penses au petit ?

Séverine secoue la tête, cherchant le secours d'une

gorgée de café déjà tiède – et dégueulasse. Du café pas cher, toujours le même, parce qu'il n'y a pas de petites économies. Et pierre qui roule n'amasse pas mousse. Et un tiens vaut mieux que deux tu l'auras. Et merde !

Elle vide le mazagran comme un shot de vodka, gorge ouverte, coude en vol.

la vieille en profite :

– Manuel, au moins, il t'a épousée.

– Putain, maman, on parle pas de moi, là, on parle de Céline !

– Parle-moi autrement, sinon…

– Sinon quoi ?

– Sinon j'appelle ton père.

Elle marche – court presque – vers la voiture quand Pascal l'attrape par le bras. Elle se dégage dans un sursaut violent.

– T'es con, j'ai eu peur.

– C'est que moi.

– Oui ben préviens. On se jette pas sur les gens comme ça.

Il lui sourit d'un air penaud.

– Je voulais juste savoir comment tu vas.

– Bien.

Elle ouvre la portière comme une fin de non-recevoir, brusque et pressée. L'homme rentre la tête dans les épaules, mais penchée sur le côté, un sourire en biais. Il a l'œil dans la lumière du matin, ça fait une belle couleur, plus mordorée que brune. Elle se souvient qu'elle l'aimait bien.

– Excuse-moi.

– T'es tendue. C'est ta fille ?

Dans le dos de Pascal, les ouvriers se mettent en marche vers le champ de pommiers.

– Tu devrais y aller. Tu connais mon père.

– Tu sais… ça cause pas mal, avec cette histoire…

Séverine se tend. Son visage se durcit d'un seul coup, l'homme peut voir ses joues se creuser sous l'effort pour rester calme. Il se souvient bien d'elle quand ils étaient adolescents, même s'ils ne sont pas restés ensemble très longtemps. Il ne l'aurait jamais lâché aux copains, mais il avait été drôlement amoureux pour un gosse ; du genre à se souvenir des détails comme celui-là, de la douceur de sa peau dans le creux des coudes, de l'odeur de ses cheveux ou de sa sueur. De ses joues creusées par la colère.

– C'est juste que… je sais pas, on voudrait bien aider, tu vois ?

– Aider ?

– Trouver le type, quoi.

Séverine secoue très doucement la tête sans le lâcher des yeux – il comprend qu'il a dit une connerie.

– Vous êtes aussi cons les uns que les autres.

– Séverine…

– Ta femme va bien ?

– Oui…

– Ton gamin ?
– Oui.
– C'est bien.

Elle monte dans la voiture, claque la portière. Le bruit du moteur recouvre les derniers mots de Pascal, sa pauvre tentative pour dire qu'il n'est pas si con qu'elle croit.

Le chemin du goutte-à-goutte

Il n'y a personne dans les couloirs de l'hosto. C'est l'heure chaude, les patients crèvent doucement dans une moiteur sous ventilos. Manuel avance comme un condamné à mort, la respiration brouillonne, épaisse et rauque – comme un écho à celle de son père, gisant dans la chambre du fond à droite. Il ne se souvient pas du numéro mais ça n'a pas d'importance, il sait où est la chambre, il pourrait y aller les yeux fermés, un mois maintenant et plus pour longtemps, ont dit les toubibs. Il passe devant la tisanerie, les filles rigolent entre elles, elles sont fatiguées, ont enlevé leurs blouses et restent en débardeur, affalées sur les chaises en plastique, triturant des clopes qu'elles fumeront tout à l'heure, quand elles auront le courage de descendre. Mais il fait si chaud, et le service a commencé si tôt. Elles lèvent les yeux vers lui, le saluent d'un sourire. Sur le mur du fond, il y a un tas de photos épinglées, des faire-part de naissance, des cartes postales avec des blondes qui embrassent l'objectif sur des plages surexposées. Juste à côté, des notes de service stabilotées, des tableaux de roulement, les horaires de chacune. L'une des infirmières tripote un paquet de gaufrettes au chocolat, biscuits industriels sans marque distribués aux patients. Le chocolat a fondu à l'intérieur du plastique, ça fait pas envie. Elle se lève en le reconnaissant.

– Il va être content de vous voir.

Manuel grogne, pas plus. Il lui sourit quand même, parce qu'on lui a appris à être charmant avec les filles. Celle-là a bien la cinquantaine mais pour Manuel, même passé un certain âge, les femmes restent des filles. Surtout celles qu'on peut toucher, qui ont grandi pas loin ou qui font un boulot qui salit les mains. L'aide-soignante l'encourage du regard. Sans qu'elle puisse savoir s'il le redoute ou l'espère, elle l'entend murmurer :

– Il dort ?

Les filles du palliatif ont l'air plus vivantes que les autres, il a remarqué ça en traînant dans l'hosto, seul, quand il descend fumer ou prendre un café à la machine pour échapper à la chambre de son père. Un je-ne-sais-quoi de rouge à lèvres en plus, le rire vif, fréquent, la douceur étudiée pour parler aux proches. Il se demande parfois laquelle lui annoncera. Il ne retient pas leurs prénoms. C'est la brune, la blonde, celle aux boucles d'oreilles bizarres, la grosse, la très jeune. Il ne distingue pas les infirmières des aides-soignantes. Elles forment un magma vaguement rassurant, elles font ce qu'il est incapable de faire : manipuler le corps cassé et malade de son père, changer sa perfusion, le faire manger à la cuillère, le torcher. Il voudrait ne pas y penser, mais il observe leurs mains, chaque fois.

Ses semelles collent au lino. Ça fait un petit bruit spongieux à chaque pas, un bruit sale. Quand il entre dans la chambre, il ne regarde pas tout de suite l'homme couché ; il suit d'abord le chemin du goutte-à-goutte. Il le connaît, ce chemin, le voit même la nuit, surtout la nuit, et puis la main grêlée aux veines épaisses, posée sur le drap comme une bête morte, avec l'aiguille plantée dedans. Après il remonte jusqu'au long visage, avec ses yeux immenses et le crâne presque lisse sous la repousse de cheveux fins – le duvet d'un caneton. Les pantoufles inutiles au pied du lit, l'air qui passe par sa gorge, ses doigts jaunes. Il refait l'inventaire, Manuel, la route vers l'homme qui le rend à l'enfance par sa simple présence. Quelques détours avant d'oser affronter son père et son regard de fin du monde.

Mais aujourd'hui quelque chose s'agite sous le drap, la main sans perfusion fait des va-et-vient au milieu du lit, soulève le drap de façon régulière. Ça brise la route de Manuel, le figeant dans une gêne glacée malgré la chaleur.

– J'y arrive plus, chuchote son père, les yeux perdus.

– Papa...

– Ça vient pas, même quand les plus jolies me lavent.

Manuel se tourne vers la porte, l'envie de fuir – la honte, aussi.

– Tu verras, quand ça t'arrivera.

La main sort de dessous le drap, vient se poser, fragile, le long du corps couché.

Le fils tremble à l'intérieur, une tension désagréable. Il fouille dans sa tête pour trouver une échappatoire. Il regarde la main de son père.

– Tu risques de la perdre, lâche Manuel en désignant l'alliance de son père.

À son doigt désormais trop maigre, la bague flotte, glissant parfois jusqu'à la jointure.

– Elle ira pas bien loin, tu sais. Et puis je l'ai jamais enlevée, je pense toujours à ta mère. Chaque jour depuis qu'elle est morte.

– Je sais, papa.

Un faux silence occupe l'espace, plein de respirations glaireuses et de fantômes. Nom de Dieu cette fenêtre, l'ouvrir en grand sur l'été, là, tout de suite. Manuel s'accoude au montant, la nausée un peu, le manque de mots surtout. En même temps c'est pas nouveau, c'était même pire avant. Mais maintenant que la mort se pointe, il y a des trucs qui sortent, des licences sans ambages, l'oubli de certains codes, et il n'aime pas ça. Ça lui fait mal de voir le vieux diminué, même s'il a mille fois rêvé de l'affronter. Surtout parce qu'il a mille fois rêvé de l'affronter. Ça le rend dingue, la maladie, les tuyaux, la fin, mais bon sang *que ça cesse*, il se dit. Et la honte le ronge de le penser si fort.

– Comment va Séverine ?

– Bien.

– Elle fait un métier difficile. Tous ces mômes, c'est bien ce qu'elle fait.

– Elle est cantinière, papa. Elle leur sert à bouffer, c'est tout.

– Nourrir des gosses, pour toi c'est rien ?

– Papa…

Le vieux s'essouffle, alors Manuel a peur. Il regrette, une fois de plus.

– Je bosse sur un chantier à Bonnieux, je t'en ai parlé ? On a refait un muret en pierres sèches, c'était un sacré truc, j'aurais bien aimé que tu voies ça.

Les grands yeux de son père se perdent dans les montants de la fenêtre.

– Tu diras aux filles de venir me voir.

– …Le patron a dit que ça avait de la gueule, peut-être même que le prochain coup, il me mettra chef d'équipe.

– Y en a plus pour longtemps, elles sont en vacances alors elles peuvent venir.

Un nouveau silence, plus moche que le précédent, signe la fin de la visite.

Sur la table de nuit gisent des journaux – *La Marseillaise*, *La Provence* –, vieux de plusieurs jours. Manuel se demande qui les lui apporte, une infirmière peut-être. Ou Séverine, qui s'arrête parfois embrasser son beau-père au retour du travail. Il se force à sourire avant de quitter la chambre, se retourne au dernier moment pour regarder son père.

– Je leur dirai, papa.

Edward Bond

– C'était sublime !
La fille balance ça avec le visage grave de la foi éternelle. Jo s'accroche à cette ferveur qu'elle vient de partager pendant quarante minutes dans le minuscule théâtre du Bourg-Neuf. Ils ne sont pas nombreux pour cette représentation d'*Été*, d'Edward Bond : cinq spectateurs, mais le type à l'entrée a dit *On joue quand même, c'est Avignon, c'est comme ça, il y a trop de théâtres et trop de représentations, cinq spectateurs, c'est déjà ça.* Il était maquillé, il jouait aussi dans la pièce – la caisse, le jeu, le démontage du décor et le ménage aussi sans doute. La ville est saturée d'affiches et de monde, trop bien sûr, une folie étrange un peu plus racoleuse d'année en année. Le festival d'Avignon a pris différents visages. Il y a eu cette effervescence magique, dans le temps, la place du palais des papes recouverte de sauvages magnifiques, costumés ou non, jouant ou tressant des cheveux longs, déclamant des poèmes à même le bitume, des mendiants sublimes. Des fêtes, la nuit, montées

acrobatiques et saoules au rocher des Doms, malgré l'interdiction municipale. Il y en a encore, des fêtes, dans les enceintes closes de la cour du palais, les arrière-salles des théâtres, mais d'interdictions en décrets, de nettoyages humains en gestion de plus en plus droitière, Avignon ressemble chaque année un peu plus à un décor, un *Truman Show* dans lequel s'agitent Parisiens et touristes le temps du festival. Chacun s'entend pour dire que le festival, c'était quand même mieux avant.

Johanna, elle découvre, alors forcément, elle trouve ça incroyable, ces milliers d'affiches qui mangent les murs de la ville et ces gens venus d'ailleurs. Et puis les déambulations, surtout, la fascinent. Que des comédiens s'affichent en pleine rue, costumés et braillant des bouts de textes, haranguent les foules installées aux terrasses, elle ne s'en remet pas. Dans son monde, chacun tente de garder sa superbe, même miteuse. Au collège bien sûr, mais pas seulement. Son père n'accepterait jamais d'aller à une fête costumée, l'humiliation serait totale. Que certains assument le grimaçant, le grimé, le *jeu*, lui ouvre des possibles. Elle est mal à l'aise, encore, mais les lignes bougent, le ridicule change de camp.

La fille lui sourit.

– La mise en scène était brillante. T'as aimé ?

Jo se demande si elle est parisienne. Une gentillesse étudiée, excessive, un brin de condescendance. Enflammée comme une religieuse extatique, mais chaque geste répondant à des codes d'élégance qui donnent à Jo l'impression d'être moche, pauvre et conne.

– Oui.

– Attends, mais y a une intelligence, une compréhension du texte... j'adore ce texte. Bond, c'est vraiment unique.

Jo acquiesce. Elle n'a jamais entendu parler de Bond avant aujourd'hui. Son prof de théâtre au collège a vaguement tenté de leur faire jouer des extraits de Molière.

– Oui, c'était beau.

Elle le pense vraiment. Elle aussi ça l'a bouleversée, même si elle n'a pas les mots pour le dire. Elle aimerait les avoir, là, tout de suite, pour donner la réplique à cette fille incroyable, pas beaucoup plus vieille qu'elle, qui semble tellement sûre d'elle. Jo a envie de la frapper, de devenir sa meilleure amie, ou d'être elle, impossible de savoir. Elle a choisi cette pièce parce que l'affiche lui a plu, et parce que l'entrée n'était pas chère – les avantages du off, de la surenchère des compagnies qui rivalisent pour survivre. Son portable sonne. Saïd. La fille la dévisage avec insistance, elle n'a pas l'air de vouloir partir. Elle a l'air de trouver la compagnie de Jo intéressante. Jo s'éloigne, juste un peu, pour répondre à Saïd. *Non, pas tout de suite, mais oui, viens me chercher. Hein ? Ben pas tout de suite mais tout à l'heure. Je sais que tu viens exprès ! Dans une demi-heure sous les remparts, porte Sainte-Catherine.*

111

Elle se tourne vers la fille, glisse son portable dans sa poche d'un air coupable, comme si l'autre pouvait voir la tête de Saïd, sa bagnole pourrie, et même entendre son accent. La fille n'en a pas. Elles marchent ensemble vers la rue des Teinturiers. La fille parle de la pièce et d'une autre qu'elle a lue, une merveille, est-ce que Johanna connaît ? Elle s'appelle Garance. Jo a un peu mal au bide ; elle ne sait pas quoi dire et s'agace de trouver ça gênant. Elle voudrait s'en foutre, comme elle se fout des bourges, d'habitude. Mais les connasses de son collège qui montent à cheval le mercredi après-midi n'ont pas lu Edward Bond. En elle pointe soudain ce malaise incertain, la déchirure qui laisse entrevoir que le fric ouvre un autre monde que celui des bagnoles de luxe et des vacances à l'étranger. C'est pas la première fois, mais ça s'incarne soudain, par les mots de cette fille, son engouement jumeau du sien mais bien mieux nourri. Johanna se sent trahie.

– Tu vis ici ?

Garance opine.

– Ma mère vit intra-muros. Je vais au lycée à Saint-Joseph.

– Bien sûr, lâche Jo en ricanant.

– Ouais, je sais, dit Garance, les yeux plissés d'amusement.

Un peu gênée aussi, peut-être.

– Excuse-moi…

112

– Laisse tomber, j'ai compris. Mais tu sais, c'est pas si mal.

Jo ne répond pas.

La rue encombrée de tables donne envie de s'arrêter là, de traîner des heures en buvant du Coca glacé. Soudain, Garance aperçoit des amis et se met à pousser des petits cris de joie en les interpellant. Assis autour d'une table basse plantée dans le sable – un bar branché qui offre l'illusion d'une plage en plein cœur d'Avignon –, les amis de Garance répondent à ses cris par des exclamations tout aussi excessives et euphoriques. Jo, ça la saoule. Elle ne dit pas bonjour. Elle garde ses mains au fond des poches, toise la tablée sans sympathie. Elle les trouve beaux et brillants. Ça cogne sévère, dans son ventre, elle aime pas bien la situation, ces gens qui poussent des cris hystériques pour se dire bonjour. Un peu comme Céline et ses copines mais pas pareil non plus.

– Tu bois un verre avec nous ? propose Garance.

– Non, je peux pas.

– Je t'invite.

– Ça va, j'en ai, de la thune, j'ai pas besoin que tu m'invites.

– C'est pas ce que je voulais dire.

Jo plante ses deux yeux bizarres dans ceux de l'autre, qui s'illumine dans un sourire.

– T'as des yeux incroyables, c'est fou, j'avais pas fait gaffe !

Du coup c'est Jo qui se sent mal, merde, les compliments, c'est pas son quotidien. Elle voit bien que c'est pas de la drague, et c'est pas non plus pour se foutre de sa gueule. Jo mordille ses lèvres, regarde autour comme si elle pensait trouver dans le décor une parade au malaise. Mais c'est Garance qui tranche, sans se rendre compte de quoi que ce soit :

– Donne-moi ton numéro, je t'appelle, comme ça t'as le mien.

Les potes de Garance ont repris leur conversation ; ils parlent musique. Jo n'a jamais compris qu'on puisse parler musique. La musique, ça ne se parle pas, ça s'écoute. Limite tu peux danser dessus, ou faire écouter à quelqu'un d'autre – tout juste.

– Pour quoi faire ?

– On fait une fête à Gordes dans une quinzaine de jours, dans la maison de mon père, un gros truc pour fêter la fin du festival. Avec des potes. Tu veux venir ?

Jo hausse les épaules, l'air de s'en foutre. Elle crève d'envie d'y aller.

Elle donne son numéro à Garance.

Jamais comme eux

Les gars ont fini tôt et ne se sont pas attardés au PMU. Ils aiment bien d'habitude, mais Manuel manque de diplomatie ces derniers temps, alors Patrick lui a proposé de boire l'apéro ailleurs, il avait pas envie que son pote vrille en cassant la gueule d'un autre ouvrier.

La plupart du temps, c'est plutôt l'inverse : Patrick est nerveux comme un taon, prêt à s'écorcher les poings sur la mâchoire du premier contradicteur, juste pour le plaisir atavique de se cogner aux autres. Manuel calme le jeu quand il peut, lisse les surfaces d'érosion en mots d'amitié et en bières conciliatrices. Une fois, une seule, il s'est pris une droite, mais elle ne lui était pas destinée ; erreur de calcul, la cible était trop mouvante et Manuel trop obstiné à vouloir empêcher la baston. Ça avait calmé tout le monde. Parce que Manuel était le plus fort, tout le monde le savait. Y avait qu'à voir la taille des pierres sèches qu'il soulevait pour faire un mur. Y avait qu'à voir la vitesse avec laquelle il était capable d'en dresser un. Et la largeur de ses mains cornées.

Personne ne lui cherchait la merde, pour pas se faire allonger par une mornifle aussi puissante qu'un poing de boxeur. Chaque muscle saillait comme une menace, un défi au reste de la meute.

Ils arrivent chez Manuel avec des packs de bière dans chaque main, torse nu, leur tee-shirt rentré dans la ceinture du pantalon, battant l'arrière de leurs cuisses comme des queues d'animaux. Séverine regarde la télévision dans le canapé.

– T'aurais pu me dire que tu rentrais pas seul, je me serais attifée un peu mieux.

Patrick rigole, il vient planter une bise sur la tempe de Séverine, elle relève à peine la tête de peur de rater une subtilité de son programme – des filles dansent sur une scène et se font insulter par leurs coachs ensuite. L'une d'entre elles pleure dans sa loge, on la voit renifler en gros plan, du rouge à lèvres étalé sur sa joue mouillée.

Depuis le temps, Patrick l'a déjà vue encore plus mal sapée, c'est pas un legging et un débardeur qui vont le rendre malade.

– Valérie elle est où ? lui demande Séverine.

– À la maison, mais si t'es d'accord elle nous rejoint.

– Évidemment qu'elle peut venir prendre l'apéro, et puis j'ai des restes.

Une bière à la main, Manuel se plante au milieu du salon.

– On se lève tôt demain.

Patrick est en train de taper un message à sa femme pour lui dire de le rejoindre.

– Hé, ça va, on va pas squatter chez toi toute la nuit…

Séverine lève les yeux au ciel, créant avec Patrick une complicité contre son mari, un classique.

– Et ta bière, tu la bois en juif ?

– Va te servir.

Patrick ricane, il va en chercher deux, une pour lui et une pour la femme de son pote – grand seigneur.

En grattant les bouts de silicone collés à ses doigts, Manuel demande si les filles sont rentrées.

– Céline est dans sa chambre.

– Et Jo ?

– Pas encore. Elle traîne avec une nouvelle copine, elle passe son temps sur Avignon.

– Une nouvelle copine ? demande Patrick, qui connaissait les filles avant qu'elles n'existent.

Séverine tourne la tête vers lui – les danseuses sur l'écran attaquent une chorégraphie habillées en putes texanes.

– Ouais, une nouvelle copine qui va au lycée à Saint-Joseph.

Les deux se marrent. Pas Manuel.

– Ça vous fait marrer ?

– Ben ouais. Qu'est-ce que t'as encore à faire cette gueule ? On peut se détendre un peu ?

— Si je pouvais, moi aussi je la mettrais à Saint-Joseph, la petite.

— Arrête tes conneries, elle sera très bien à Cavaillon, tranche Séverine.

— Pour finir comme sa sœur ?

— Je vois pas le rapport, réplique Séverine, plus durement.

— Tu vois pas ?

— Tu crois que ça leur arrive pas aux petites bourges de tomber en cloque ?

Patrick s'approche de la porte en buvant sa bière. Il fait semblant de guetter Valérie, traverse le rideau en plastique comme pour aller à sa rencontre. En vrai, il fait quelques mètres et observe le Luberon qui vire orangé à cette heure. Il entend quand même les voix.

— Peut-être qu'elles s'en rendent compte plus tôt. Je sais pas.

— Est-ce qu'on peut arrêter de parler de ça pendant une soirée ? C'est possible ?

Patrick allume une clope avec son Zippo. L'odeur familière d'essence le rassure. Il serre les mâchoires, mord le filtre. Séverine a dû monter le son, une reprise de *Jolene* envahit le jardin à présent. La voix de la chanteuse n'a rien du mordant désespéré de Dolly Parton, mais son *please don't take him just because you can* colle tout de même un frisson à Patrick. Il lève les yeux vers la fenêtre ouverte de la chambre des filles. Céline fume un joint, en soutif, accoudée. Elle le regarde sans rien dire, tire sur le filtre carton avec lenteur, pour pas se brûler. Ils restent un moment comme ça. Il ne voit pas son ventre d'en bas, juste ses seins qui débordent, la dentelle au bord de la déchirure, les chairs douces et gonflées. Et ses yeux sans expression qui ne lâchent pas les siens. Il se souvient du jour où Manuel a débarqué comme un taré au PMU pour annoncer sa naissance, les mains tremblantes, les yeux mouillés comme ceux d'une gonzesse. Et de la cuite qui a suivi. Il se demande à quoi elle pense, son cœur bat trop vite. Elle jette le mégot encore fumant qui tombe à ses pieds. Il l'écrase du bout de sa godasse. Après il relève la tête, mais Céline a disparu.

Finalement, c'est Manuel et Séverine qui rejoignent Patrick au jardin. Séverine a enfilé un tee-shirt et une jupe, attaché ses cheveux en queue-de-cheval, on dirait une *cheerleader* américaine avec quelques années de plus au compteur. Mais elle s'en tire bien. Quand Valérie se pointe, elle amène des cacahuètes, un paquet énorme dans les coquilles, ça va bien avec la bière. Et puis les hommes passent au pastis. Ils parlent du chantier, à Bonnieux, et du bassin d'agrément que la propriétaire leur fait creuser juste à côté de la piscine. Ils en parlent avec un mélange d'envie et de moquerie, parce qu'un bassin d'agrément ça ne veut rien dire, c'est débile, un caprice de riche.

— Mais ça sert à quoi ? insiste Valérie.

– Pour faire joli. Ou pour foutre des poissons, on n'en sait rien.

Patrick ricane. Il écrase les arachides entre ses doigts, extirpe les fruits, les croque deux par deux. Un tas de coquilles filandreuses s'amasse dans le cendrier, menaçant de déborder. Parfois, furtivement, il jette un œil vers la fenêtre, guettant malgré lui la silhouette de Céline qui ne reparaît pas. Manuel tente d'offrir une gueule un peu apaisée à sa femme, à son pote, à la femme de son pote. Il se dit que Séverine est plus jolie que Valérie et ses kilos en trop, sa frange blonde et ses pendants en toc. C'est une pensée agréable. Il se dit qu'il est bien, là, dans le jour tombant après une journée de boulot – il se convaincrait presque. Il chasse son père, il chasse sa fille. Il boit un peu trop vite.

Par la porte et les fenêtres ouvertes, on entend encore la télé, des bribes d'infos terribles et spectaculaires qui ne semblent pas les concerner des masses, à première vue. Des bombes ont rasé plusieurs villages du Proche-Orient ; des actionnaires ont récolté des milliers d'euros de dividendes ; des syndicalistes tentent de trouver un accord avec les patrons d'une grosse boîte pour éviter deux mille licenciements.

– Faudrait tous les crever, lâche Manuel.

– Ou les faire vivre avec un smic, propose Valérie.

Elle est gentille, Valérie. Enfin, pas toujours, mais il reste en elle un élan pédagogique, un refus du violent, alors même qu'elle est la première à s'en prendre plein la gueule. Tout le monde le sait. Tout le monde la ferme parce que c'est pas si souvent, Patrick est pas le mauvais bougre non plus, et la vie n'est facile pour personne. Et puis elle aussi elle s'y met, quand ça vrille entre eux, faut pas croire qu'elle reste les bras croisés.

Les infos continuent : une mère a retrouvé sa fille après vingt ans d'absence. Un vieux chanteur est mort. Une cellule radicalisée en banlieue parisienne a été démantelée. Un camp de réfugiés a été incendié dans l'Est. L'État d'urgence est prolongé.

Le bruit d'un moteur recouvre soudain les nouvelles, et une voiture s'engage lentement dans le lotissement, une voiture inconnue. Ici, chacun connaît la caisse des autres, sa marque et sa date de sortie d'usine, et même les autocollants sur le cul, les *Bébé à bord* et autres *Double-moi pauvre con*. Celle-là on ne l'a jamais vue, une Audi A3 neuve, noire comme une tache, qui ralentit devant la maison et s'arrête. Vitres fumées, impossible de voir qui est au volant. Les buveurs se taisent. Et les jambes de Jo émergent, côté passager. Elle jaillit de la voiture, les cheveux encore mouillés, un air d'enfance dans le sourire, referme la portière. Pour saluer ses parents et les deux autres, elle reprend un masque sans joie, claquant des bises comme à l'épreuve. Les quatre se taisent toujours. Tout le monde veut savoir, pourtant.

La voiture redémarre, pour aller lentement se garer cinquante mètres plus loin. Autour de la table, un silence dure encore, plein de questions. Le muret est suffisamment bas pour que chacun puisse épier son voisin ; les quatre se dévissent le cou pour observer la voiture et son occupant. C'est Saïd qui en sort. Il verrouille la bagnole avec sa clef, ça fait un bruit de sabre laser et les phares clignotent avant de s'éteindre. Il rentre chez lui.

– C'est quoi cette caisse ? grogne enfin Manuel.

– Il a les moyens, le petit con, siffle Patrick.

Jo secoue la tête.

– Ben il bosse.

– Avec un job de saisonnier, se payer une caisse pareille…

Manuel ne dit plus rien, il a le regard fixe, des yeux d'aveugle tournés au-dedans.

– Ressers-moi un pastis, il dit à Séverine, et elle le fait sans râler.

Il y a des moments, comme ça, où elle comprend. Assez souvent en fait, mine de rien. Parfois elle fait juste semblant de passer à côté. Elle regarde sa fille, debout dans le début de nuit, qui hésite entre s'asseoir et filer rejoindre sa sœur à l'étage.

– T'as fait quoi aujourd'hui ?

– Rien.

– Rien ?

– J'ai vu une pièce de théâtre à Avignon, et j'ai été me baigner dans la Sorgue.

– C'était bien ?

– Normal.

Jo hausse les épaules, chope une poignée d'arachides.

– C'est pas les cacahuètes qu'on file aux singes ?

– C'est toi le singe !

Patrick lui met une tape sur la cuisse ; elle se dégage et lui lance un regard polaire. Il n'en a rien à foutre et se met à mimer un chimpanzé, poussant des cris ridicules. Du coup elle sourit, quand même.

– Salut les vieux, elle lâche avant d'entrer dans la maison.

*

– J'ai pas faim.

– Ben tu te forces un peu.

La pizza surgelée que Jo a fait cuire au micro-ondes dégage une odeur de graisse et d'herbes de Provence.

– Il fait trop chaud pour bouffer un truc pareil.

– Oh allez…

– Ça me fout la gerbe.

– Je croyais que ça allait mieux.

– Ben oui, mais si tu me fous ça sous le nez, ça peut revenir.

Jo mâchouille son quartier de pizza, avachie sur son lit, en vis-à-vis de celui de Céline.

– Ça va avec mamie ? Tu tiens le coup ?

– Ouais.

Céline pose une main sur son ventre nu et rond. De ses ongles roses, elle agace son nombril, caresse la peau en spirale autour, élargissant le cercle et revenant au centre.

– Ils sont toujours là, Patrick et Valérie ?

– Tu les entends pas ?

Des rires montent jusqu'à la chambre, quelques avis sur tout et des morceaux de vannes. Valérie rit trop fort.

– Si.

Céline soupire comme une mourante, un bras passé sur son visage, les yeux clos encore maquillés.

– T'es allée à la rivière avec Saïd ? Il bossait pas aujourd'hui, je l'ai pas vu.

– Ouais.

– Putain, c'est bien avec toi, on a les détails, on sent que tu partages, ça fait plaisir.

Jo rigole sans bruit.

– J'ai revu ma pote, tu sais, celle d'Avignon.

– Raconte.

– On est allées voir des pièces de théâtre.

– Ouah, la grosse éclate...

– Y a une fête chez elle dans deux semaines. Tu viendras ?

Céline roule sur le côté, plante son poing dans sa joue.

– Je passe l'été chez les grands-parents au milieu des crasseux et je vois plus personne. Alors oui, je veux bien venir à ta fête d'intellos. N'importe quoi pour échapper à ce putain d'été de merde.

Elle se penche pour ramasser un morceau de pizza. Le

fromage a commencé à se solidifier. Ça a l'air dégueulasse mais sa sœur a raison, il faut qu'elle avale quelque
chose. Elles mangent en silence, espérant vainement
qu'un souffle d'air entre par la fenêtre. Mais la nuit reste
moite. La voix du père monte jusqu'à elles, sans qu'elles
saisissent les mots.

– Jo...
– Ouais ?
– On sera jamais comme eux, hein ?

Jo ne répond pas tout de suite. Elle hésite, pèse l'à-
propos d'une réponse trop lucide. Dans le doute, elle
choisit un demi-mensonge.

– Non, jamais.

*

– Tu pues, Manuel.
– Séverine...
– T'as même pas pris ta douche en rentrant.

Elle serre les dents, ses yeux se posent au-delà du
bonhomme qui se frotte à elle en respirant trop fort.

– Fais pas chier.

Patrick et Valérie sont partis après les cacahuètes et la
bière. Les filles ne sont pas ressorties de leur chambre et
ne le feront pas avant le lendemain. Alors ils ont mangé
des restes de poulet dans le canapé, en regardant la fin
d'un film assez nul, une comédie romantique au

dénouement hautement prévisible. Sans parler, sans évoquer de sujet douloureux – un répit.

Et puis Séverine s'est levée pour mettre les assiettes dans le lave-vaisselle. Manuel a suivi ses jambes et son cul, très excité d'un coup.

– Arrête, pas maintenant.

Il essaie de l'embrasser, se colle à elle, la colle au mur, elle aime bien ça d'habitude, qu'il soit plus fort qu'elle. Avant, elle disait que c'était rassurant, ses bras, sa volonté. Après elle a plus rien dit, mais il sent bien qu'elle aime, qu'elle en devient presque douce, souvent. Elle tente de se dégager mais il est pressant, force le chemin pour caler un genou entre ses cuisses.

– Lâche-moi, merde !

– Putain, mais t'es ma femme, non ? J'ai encore le droit de baiser ma femme !

Elle tente de le repousser avec ses petits bras, mais sans effet ; alors elle fronce le nez d'un dégoût presque joué, excessif. Il reste dur et massif, ne la laisse pas s'extraire. En s'agitant, elle se frotte un peu plus à son genou, malgré elle. Ça l'excite, alors elle le gifle. L'haleine de l'homme est lourde d'alcool, son souffle chargé s'accélère. Il remonte la jupe de Séverine et tire sur la culotte ; elle le gifle, encore. La tête massive de Manuel bouge à peine sous les claques. Séverine étouffe un cri en mordant violemment son cou de taureau. Il prend la morsure pour un encouragement, un aveu. Elle sent le mur granuleux dans son dos. Manuel s'enfonce en elle si furieusement qu'elle le laisse venir, s'ouvrant plus grand pour éviter la douleur, cuisses relevées, mollets posés sur ses reins.

Parfois, elle en imagine un autre, un qui n'existe pas et qui la désirerait pour la première fois. Il n'a pas de visage, pas de forme précise. Rien d'un athlète ou d'un acteur, ou peut-être un mélange de tout ça, avec quelque chose de nouveau et d'indicible qu'elle convoiterait sans connaître. Un homme qui danserait, peut-être. Sa culotte mauve, accrochée à une de ses chevilles, se balance en cadence contre les fesses de Manuel et ce détail lui donne envie de pleurer. Elle parvient à reposer une jambe au sol, comme un fil qui la relierait au monde. Pour le reste, son dos cogne contre le mur, mais ce n'est pas si douloureux – des mouvements qui imposent le rythme, inclinent son corps sous le désir de l'autre. Elle sent les effluves de sueur familière, et l'urgence du désarroi – qu'elle ne sait pas nommer – lui fait fermer les yeux. Séverine se repasse en boucle les mots servis à Charlotte : elle aime sa vie, elle n'en changerait pour rien au monde, et avec Manuel, c'est aussi animé qu'au début.

Les damnés de la terre

Enfant, Céline aimait croquer les amandes encore tendres. C'était censé la rendre malade, mais elle ne l'a jamais été. Vertes et duveteuses, elles pendaient en grappe le long du chemin de l'école. Céline les décoquillait avec les dents. À présent, les amandons ne l'intéressent plus, la chair laiteuse lui semble fade. Tout juste prend-elle encore un peu de plaisir à broyer quelques coquilles sèches sous une pierre lorsque les amandes arrivent à maturité. Et encore. Le geste lui-même semble obsolète, un geste d'enfance dont elle s'est éloignée en apprenant à se maquiller. Seule Jo jubile encore en tombant sur des fruits jumeaux au cœur des coquilles, tannant sa sœur pour jouer à Philippine, un jeu idiot où chacune avale un des morceaux et doit être la première, le lendemain, à brailler « Bonjour Philippine » pour voir son vœu se réaliser. Des trucs de mômes. Elle y repense à cause des amandiers qui courent le long du chemin, entre la route communale et la propriété des vieux.

Dans la cuisine impeccablement tenue par sa grand-mère, Céline a rempli un thermos de café pour les ouvriers, comme chaque matin. Dans un panier, elle a glissé des morceaux de lard et de fromage, du pain, une bouteille de vin. Le chien s'acharnait sur un os, elle l'entendait haleter en grognant au bout de sa chaîne, par la fenêtre ouverte. Pour éviter la bête en sortant, elle a tiré droit entre les deux micocouliers de la courette et elle est partie offrir leur pause aux damnés de la terre qui officiaient dans le champ de pommiers.

— Pourquoi tu t'obstines à nous filer du lard alors que les trois quarts d'entre nous en bouffent pas ? demande Saïd en fouillant dans le panier.

— C'est pas moi, c'est ma grand-mère.

— Elle le fait exprès.

— Y a des chances, oui.

Il chope un bout de fromage et le boulotte sans pain.

— Ils changeront pas, hein.

— Des crevards…, chuchote un vieil Algérien en ouvrant la bouteille de vin.

— Toi ça te fait plaisir pourtant, le lard et le vin, mon cochon, s'exclame Saïd en se marrant.

— Moi je suis kabyle, je sais ce qui est bon. Mais l'intention, fils, c'est de nous faire chier.

Céline n'apprécie pas.

— Ils vous filent du boulot, quand même. Sympas pour des crevards.

Le Kabyle sourit à Céline, il semble peser les mots qui

vont venir. La lumière creuse ses rides, il plisse les yeux dans le soleil. D'autres ouvriers s'approchent, piochent dans le grand panier. Ils déroulent leur corps, s'étirent, tendent les yeux vers la petite-fille du patron, jolie et presque mère, posée sur un tertre comme une icône ventrue. Elle ne sait pas ce qu'ils pensent d'elle. Le vieil homme se penche vers elle. Il dégage une odeur de sueur un peu aigre, pleine de fatigue.

– Tu sais ce qu'il a fait, ton grand-père, l'année dernière ?

– Pourquoi tu lui racontes ça ? plaide Saïd.

– Pourquoi je devrais pas ? Elle doit savoir, c'est plus une gosse. Peut-être même qu'elle trouvera ça normal, ou drôlement futé.

– Arrête, elle est pas comme ça, Céline.

Il ajoute un truc en arabe, que Céline ne comprend pas.

– Il a fait quoi, mon grand-père ?

Saïd ferme sa gueule, signant la reddition par son silence.

– Il a embauché des sans-papiers pour les vendanges, reprend le vieux. Toutes les vendanges. Ils étaient contents, tu penses. Il les a même laissés dormir sous l'auvent, avec le tracteur. Ils ont bossé comme si leur vie en dépendait, parce que leur vie en dépendait.

– C'est bon, Shems, n'en rajoute pas, grogne Pascal, qui s'est approché lui aussi.

Tous semblent connaître l'histoire. Mais ils guettent la réaction de Céline.

Le vieux Kabyle boit une gorgée de vin à même la bouteille avant de continuer. Il dose son effet, entre une colère qui sourd sous les mots et le jeu de conteur qu'il savoure à mesure que les autres se rassemblent autour de lui.

– Ils ont ramassé le raisin en un temps record, ces cons-là. Super motivés, qu'ils étaient. Ton grand-père a été le premier de la région à mettre en cuve. Et tu sais ce qu'il a fait après la récolte ?

Céline sait bien qu'il n'attend pas de réponse. Elle secoue quand même la tête, pour qu'il continue.

– Il a prévenu la préfecture, et la gendarmerie.

Shems sort une gauloise sans filtre de son paquet mou. Elle est tordue au bout, alors il la lisse avant de l'emboucher. L'odeur de brune vient écœurer la jeune fille qui attend pour comprendre, qui a déjà compris, qui fait durer un peu.

– Une partie a pu s'enfuir par les champs et se planquer. Les autres ont été arrêtés. Ce qui est bien, c'est que du coup, ton grand-père a pas eu besoin de les payer.

Céline accuse le coup. Elle n'arrive pas à savoir si elle est choquée ou non, si elle devrait l'être. Avec ce qu'elle entend depuis toujours sur les Arabes, les Roms, les Juifs, et puis c'est eux qui foutent la merde, souvent. Y a qu'à voir les attentats, elle aussi elle regarde la télé.

C'est un peu confus tout ça, en vrai elle s'en fout. Dent pour dent et y a pas de fumée sans feu, quelque chose comme ça.

Elle ne dit rien. Elle sent juste que l'enfance se fait franchement la malle, avec les amandes fraîches et les secrets crachés comme des glaires.

Rien et personne

Le môme a de la morve séchée collée sur la joue. Séverine s'accroupit pour lui nettoyer le visage. Dans l'école de village où elle bosse, Séverine ne s'occupe pas seulement de servir les repas avec une charlotte en papier sur la tête. Elle surveille aussi les gamins pendant les récréations, lorsque les instits fument leurs clopes sur le parking, et elle aide aussi pendant la classe : ranger les jeux, moucher les morveux, tamponner des cotons rouges sur les genoux écorchés et recompter les ciseaux à bout rond. Et elle remet les enfants à leurs parents, à la sortie de l'école. Elle ne déteste pas. C'est un boulot. Mal payé et crevant, mais tellement central qu'elle ne voit pas comment ils pourraient se passer de ses services. Évidemment qu'elle rêve d'autre chose, parfois. Mais elle ne sait pas de quoi.

L'été, elle ne s'arrête pas. Le centre aéré remplace l'école, mais ce sont les mêmes mômes, la même chaîne qui fournit les repas, et les récréations sont plus longues.

Elle pousse le gosse vers sa mère, qui s'empresse de

lui enfourner un pain au lait dans la bouche. La mère du gamin, Séverine la connaît bien sûr, la petite sœur d'une copine de collège ; ici, à part les retraités américains et les Parisiens en vacances, elle connaît tout le monde, c'est bien le problème.

– J'ai entendu dire, pour ta fille.

Séverine fait volte-face, une face peu engageante, mais ça ne décourage pas l'autre.

– Si t'as besoin de quoi que ce soit...

– Genre ?

Le sourire de la mère se fige, se transforme en rire gêné.

– Je sais pas.

– Alors si tu sais pas, pourquoi tu parles ?

La jeune femme tire son gosse contre elle comme un bouclier. Elle a soudain la vision fugitive et pourtant claire de Séverine en troisième, quand elle-même rentrait en sixième, petite fille perdue au milieu de la sauvagerie infâme de la préadolescence. Une fois, Séverine avait même fait pleurer une pionne. Sûre d'elle et conquérante, choisissant ses amies et ses ennemies dans une jungle sur laquelle elle régnait. Du temps où elle régnait.

– Je voulais juste aider.

– On n'a besoin de rien, et de personne.

En arrivant à la maison, elle trouve Jo dans la cuisine. Les pieds posés sur la table, sa fille enfourne des chips au paprika après les avoir trempées dans du yaourt.

– J'ai jamais compris comment tu pouvais manger ça.
Johanna détourne :
– J'ai fait tourner le lave-vaisselle.

Séverine commence à le vider, accrochant les casse-roles par ordre de grandeur le long du mur, au-dessus de l'évier.

– Pourquoi tu lui en veux autant, à Céline ?

La voix de l'adolescente résonne dans un silence de cuisine, brusqué seulement par le son des assiettes Pyrex que sa mère empile maintenant dans le buffet. Séverine pince les lèvres, ses joues remuent comme si elle mâchait les mots avant de les cracher :

– Elle l'a bien cherché.

Jo l'observe, elle et ses yeux fixes, perdus soudain dans les fissures du mur.

– Je comprends pas.

– Y a rien à comprendre. La vie, c'est pas des contes pour midinettes. La vie, ça fait mal. Toi t'es plus jeune et je sais que t'as déjà compris ça. Faut pas se raconter des histoires parce qu'au final, après c'est pire.

Elle finit de ranger les assiettes, passe son pouce sur les coquelicots en relief, dans les bordures en creux.

Jo rince son bol à la main dans l'évier, sans répondre. La mère reprend :

– Faut que tu traînes un peu moins avec Saïd.

– Pourquoi ? Qu'est-ce que vous avez après Saïd ?

– Moi, rien. Mais ton père est suffisamment con en ce moment pour que t'en rajoutes pas.

135

– On est potes depuis toujours.

– Vous êtes plus des gosses, et je sais pas comment il a fait pour se payer sa bagnole, mais vu son salaire d'ouvrier agricole...

– Eh ben quoi ?

– Il trafique forcément.

Jo se retourne, l'énervement à peine contenu.

– Comme si vous en aviez quelque chose à foutre, qu'il trafique. Et puis papa fait des gâches au black un week-end sur deux mais Saïd, s'il a du pognon, c'est forcément qu'il deale.

– J'ai pas dit ça.

– En fait si. C'est exactement ce que t'as dit.

Séverine soupire. Elle regarde sa fille et ses yeux furieux. Si étranger, ce regard, si bizarre. Au fond, elle n'en a rien à foutre que Jo traîne avec Saïd, ou avec qui que ce soit d'autre. Elle voudrait juste qu'on la laisse tranquille. Elle aurait aimé trouver la maison vide, ne pas parler, ne pas avoir à écouter. Elle aurait aimé être seule, c'est tout.

Elle sent un immense soulagement quand Jo monte dans sa chambre. Braquant la télécommande comme une arme vers l'écran, Séverine va s'étendre sur le canapé. Parce qu'elle redoute l'arrivée des deux autres, elle jette un coup d'œil inquiet sur l'horloge Mickey – encore un truc moche dont elle n'a jamais su se débarrasser. Une heure de tranquillité. Elle monte le son.

Corso fleuri

La sono envoie un morceau de Louane, qui se répercute par tous les haut-parleurs de la ville. Jo a envie de trouver la source du délit pour arracher les fils. Elle peut pas, chaque fois qu'elle entend l'intro, elle visualise le meurtre de la chanteuse, un bain de sang et des cordes vocales arrachées. Le problème, c'est qu'aucun bal de village, aucune manifestation publique n'échappe à son répertoire cet été-là, une malédiction qui semble ne pas devoir cesser avant l'automne.

– Oh ça va, t'exagères, c'est pas l'horreur non plus, dit Saïd, en rigolant.

– Je préfère encore la vieille *dance* de la Tarentule.

Céline commence à chanter dans l'oreille de sa sœur les paroles qu'elle connaît par cœur, détachant chaque syllabe et insistant sur les notes du refrain, à pleine gorge.

– Arrête, t'es chiante.

Mais ça la fait rire quand même. C'est bon de voir sa sœur faire l'imbécile, les épaules pleines de lumière, au milieu de la foule. Une appoggiature salvatrice. Ça donne l'impression que tout peut encore être épargné, l'été et ses suites.

La rue Gambetta résonne des accords honnis par Johanna, et des dizaines de groupes se croisent, se jaugent ou se fondent dans l'après-midi qui s'annonce festive, malgré ses détestations musicales et les haines tenaces des bandes qui s'évitent pour l'instant mais se cherchent des yeux. Ici, on s'endimanche encore quand s'offre l'occasion. L'Isle-sur-la-Sorgue, dernier jour de juillet, et le corso fleuri voit défiler les bateaux le long de la rivière sous les cris des habitants. Les longues barques maniées à la perche, Nego-chin instables, ploient sous les fleurs.

Quand Jo, Céline et Saïd étaient enfants, des dizaines de platanes centenaires bordaient la Sorgue au cœur même de la ville. Une sale maladie végétale a obligé la municipalité à couper chaque arbre à la racine ; les rives se sont alors transformées en esplanades. Aujourd'hui, les promeneurs installés au bord de l'eau pour regarder passer les bateaux cuisent tranquillement. L'Isle-sur-la-Sorgue, c'est petit mais toujours moins glauque que Cavaillon. La rivière, peut-être, qui traverse la ville et offre ses fonds translucides, son lit d'algues molles, lui donne un charme désuet. Ou la brocante et ses touristes. Quelques places encore pavées et des collèges au niveau moins catastrophique que ceux de Cavaillon. Deux villes frangines pourtant incomparables. Même Jo s'en rend compte, le décor influe, c'est pas nouveau. Les gosses hurlent, jambes nues dans le courant, à chaque passage d'une nouvelle barque. Il y a des thèmes, exactement comme pour les chars, mais sur l'eau. Une année, les filles ont participé. Elles étaient sur la barque égyptienne, les yeux noircis, triangles au bord des paupières, en fausses Cléopâtre prépubères. Elles rigolaient bien au début et puis elles avaient trouvé ça chiant, de jouer aux mini-potiches sur cette barque à l'équilibre relatif. L'été suivant, elles avaient préféré rester à terre, alternant applaudissements et moqueries pour ces chars flottants aux couleurs d'un pays ou d'un thème. Elles avaient choisi, d'été en été, l'avachissement avec les copains, canettes et rires sous l'œil réprobateur des riverains.

D'ailleurs, les trois s'avancent à présent vers la barge qui accueille chaque année la bande. Pas exprès, juste par réflexe. Ceux du village et quelques greffes du lycée pro, la plupart vivant à Cavaillon.

C'est Lucas qui les voit en premier. Assis en amazone sur la selle de son scooter, il a un mouvement de surprise et de joie en voyant Céline, mais il se reprend, collant un masque indifférent sur sa belle gueule étoilée de légères rougeurs. Il se masse la nuque sans trop savoir. Saluer ou pas, trouver une vanne futée, une insulte, se battre ou disparaître derrière sa monture. Ève et Vanessa les aperçoivent, de celles à qui Céline ne parle plus. Manon pousse un petit cri en détaillant la silhouette de Céline. Elle, en revanche, continue d'envoyer chaque jour des messages inquiets à sa copine. Et puis Enzo lui sourit, comme avant, alors elle se tourne vers Saïd et sa sœur, l'œil brillant, les mains agitées, virevoltantes – front, cheveux, oreilles, fond du sac.

– Je vais aller parler à Manon.

– T'es sûre ? feule Johanna.

Elle et Saïd la regardent marcher vers les autres, son ventre en avant, appendice encombrant, déplacé. L'heure n'est plus à reprendre sa place de reine, juste à exister à nouveau.

– Je comprends même pas pourquoi elle les calcule, ces connards.

– C'est ses potes, Jo.

– C'est des débiles.

Jo ne s'approche pas. Elle les regarde, un à un, porter leur canette à leur bouche, faire des effets de bassin, de bras, éclater d'un rire excessif. Elle plante ses mains dans les poches arrière de son short et fait volte-face.

Sur l'autre rive, Patrick observe les filles. Il boit un perroquet en terrasse avec Valérie. C'est dimanche et pas de gâche prévue, rien qu'une journée oisive et chaude ; c'est bien. Il s'est fait beau, a gratté les traces de peinture et de béton jusque sous ses ongles, à la brosse. Nerveusement, il triture sa touillette en plastique, une femme à poil qui surmonte le tube en plastique orange. Patrick frotte du pouce les cuisses miniatures de la pin-up, sans le faire exprès. Valérie raconte quelque chose, une histoire désagréable avec la responsable du tri, une vacharde qui leur a mis une retenue sur salaire à cause d'une pause-clope un peu trop longue. Au début, c'était provisoire, le tri des salades chez Crudette, elle espérait trouver autre chose mais faire un môme d'abord, sauf que le môme est jamais venu, et finalement elle a gardé son boulot. Mais avec le dernier plan de restructuration, pas sûr qu'elle puisse y rester encore, chez Crudette. Elle a peur de faire partie des prochains licenciements, alors les pauses-clopes un peu longues, faut qu'elle évite.

Patrick n'écoute pas. Il fait semblant, ponctuant les blancs par des encouragements, des sourires adressés à personne. Il tend son profil nerveux à droite et à gauche, son nez en lame, lisse ses boucles du plat de la paume. Le môme est jamais venu, et c'est pas faute d'avoir essayé. Valérie a compté les jours, noté des dates au stylo rouge dans des plannings où la baise s'est transformée en coït à visée de reproduction. Les toubibs ont cherché, analysé, questionné. Ils n'arrivaient pas à savoir. Du côté de Valérie, tout fonctionnait à merveille, une belle machine huilée et un utérus accueillant. Elle avait eu droit à un traitement, histoire d'augmenter leurs chances, mais rien de rien. Pas même un œuf blanc ou un début de grossesse qui aurait fini en fausse couche. Les toubibs ne voyaient pas ce qui clochait, les analyses de Patrick étaient bonnes aussi, malgré quelques sperma-tozoïdes faiblards, avait dit un spécialiste, et il n'avait pas mesuré les effets de ces quelques mots. Il avait ajouté que c'était fréquent, qu'il n'y avait pas à s'inquiéter, que ça n'empêcherait nullement la conception d'un enfant. Mais l'orgueil, nom de Dieu.

Ils étaient toujours ensemble finalement, et c'était aussi étrange que logique – une logique tordue, pleine de regrets en forme de fatigues, de rancœurs familières et rassurantes.

Valérie transpire dans sa chemisette aux épaules bouffantes, ça fait des auréoles brunes sous ses bras. Entre les traitements et l'attente, elle a glissé vers ce corps mou, pas vilain au demeurant, une vallée de chairs arrondies trop encombrantes pour être belles.

Ils ont laissé tomber, pour le môme. Enfin, c'est ce qu'ils disent, dans un fatalisme de façade. Ils ont même pris l'habitude de vanter les joies de l'absence d'enfant, ne se privent pas, lorsque des amis se plaignent des leurs, de faire valoir leur chance comme s'ils l'avaient décidé eux-mêmes.

Les Parisiens s'installent aux tables avoisinantes, s'étonnent que les prix soient si bas *en province*. Ils sont joyeux comme des colons.

Patrick regarde les filles de Manuel. Céline s'est assise au bord de l'eau, une main posée sur son ventre. Elle jette ses cheveux en arrière. C'est joli mais plus pareil. Patrick regarde chaque gamin qui l'accompagne, en plissant les yeux pour mieux les reconnaître.

– T'écoutes ce que je raconte ?
– Excuse-moi.

Valérie finit par se retourner. Quand elle reprend position face à Patrick, elle ne sourit plus. La bouche un peu tordue, elle interroge Patrick du regard.

– Tu crois que Manuel sait qu'elles sont ici ?

Il hausse les épaules, finit son verre. En tripotant son portable, il reporte ses yeux sur Saïd et Jo qui s'engagent dans la contre-allée, vers le parking du barrage. Un immense Nego-chin chargé de danseuses lui coupe la vue.

*

Dans l'Audi qui sent le neuf et la beuh, Saïd tente de rattraper ses hésitations de la dernière fois. Il voit bien que ça va pas être simple. Avec les filles, c'est toujours compliqué. Avec Jo, encore plus. Cette hargne qui couve sans cesse, et son envie d'aller voir ailleurs si le monde vaut la peine qu'on s'agite. Au fond, il comprend vaguement ces élans, mais lui ne croit pas qu'ailleurs ce soit mieux. Ça se vaut. Il faut juste s'habituer aux choses pour qu'elles glissent, et on peut faire son trou, même dans un trou. Et puis qu'est-ce qu'elle connaît de la vie, à quinze ans ? Il aime bien en avoir trois de plus d'ailleurs, ça lui donne parfois l'impression de maîtriser les situations. Les filles de son âge lui foutent la trouille, et il n'a pas sucé le sang de leurs genoux écorchés. Ça crée des liens, les chutes à vélo sur les petites routes bosselées.

Mais là, il en chie un peu. Elle fait encore la gueule.

– Elle est bien cette caisse, quand même, il lâche pour voir.

Jo lui lance un regard sans passion. Elle boit sa bière comme une rockeuse désabusée, une jambe repliée sous elle et l'autre posée sur la boîte à gants. Sa tête bascule en arrière quand elle expire la fumée de sa clope. C'est un peu trop théâtral mais ça marche. Saïd rit nerveusement.

– Vas-y, fais pas comme si tu t'en foutais.

– Je m'en fous.

– Ah ouais ?

Elle soupire comme une femme usée.

– Mais ouais, je m'en tape de ta caisse.

– T'as un problème ?

– Non. Si.

– C'est ta sœur ?

– Je sais pas.

Puis, comme piquée par un taon, elle s'agite, cherchant le bouton automatique pour ouvrir la fenêtre.

– On crève.

– Attends, j'ai l'air conditionné.

– Formidable…

Ça le vexe, Saïd, l'ironie de Jo. Elle lui a coûté un bras, cette caisse. Il est fier. Jo plonge ses yeux dépareillés dans le pare-brise, elle est ailleurs et ça commence à le gaver.

– À quoi tu penses ?

– À Antigone.

Elle le lourde sévère, aujourd'hui.

– On se tire ailleurs ?

– Tu sais qui c'est, Antigone ?

– On va se caler dans un coin tranquille ?

– Tu sais pas qui c'est.

– Hein ?

– Antigone. Tu sais pas qui c'est.

– Je m'en fous, putain ! Une copine à toi ?

Il sait que c'est pas la bonne réponse, il le savait avant de parler mais elle le fait vraiment chier, là. Quand elle prend ses airs de meuf qui en sait plus que lui, quand elle le lui rappelle, il pourrait lui en coller une. En plus il y a sa peau nue, le creux des clavicules, et ses jambes, et il est sûr qu'elle en a envie aussi, alors pourquoi elle le cherche ? Il se sent bien avec elle, la plupart du temps. Et puis parfois, il a l'impression qu'elle prend la main, et qu'il suit sans trop y croire. Normalement, ça devrait être l'inverse, c'est ce qu'il se dit parfois sans vraiment comprendre.

Jo vire ses sandales, se rencogne contre la portière, genoux au menton. Elle finit par desserrer les mâchoires.

– Tu veux aller où ?

Qu'elle change de sujet, ça le détend un peu. Et il veut bien l'emmener où elle veut, il y a des tas de coins tranquilles qu'il connaît bien, ils vont trouver.

Au moment où il tourne la clef de contact, *Paper Planes* de M.I.A. explose par les enceintes, et ça les fait sursauter tous les deux. Saïd se penche pour baisser le son. Ils n'entendent pas le premier coup donné contre la portière avant, côté conducteur. C'est seulement quand le rétro explose qu'ils réagissent.

– Vous êtes tarés ! hurle Saïd, en jaillissant hors de la voiture.

Manuel lui fait face, Patrick à peine en retrait.

– Tu fais quoi avec ma fille ?

– Papa, putain, mais c'est n'importe quoi ! rugit Johanna en sortant à son tour de la bagnole.

Elle se dresse face au paternel. Manuel la chope par le poignet.

– T'as quinze ans, alors tu la fermes, c'est encore moi qui décide.

La prise du père sur les os de son poignet, c'est pareil qu'un piège à loup : à part ronger sa propre chair, elle voit pas bien comment y échapper. Ou mordre celle de l'autre, peut-être bien – elle y plante les dents. Il lâche prise pour lui en coller une, un revers qui la laisse sonnée, le cul dans les graviers du parking. Elle s'attrape le menton, touche prudemment son nez du bout des doigts, pour vérifier. Il n'y a pas de sang mais ça fait mal, elle se met à chialer doucement.

– Remonte dans ta caisse de merde.

La voix du père comme un grondement dans sa tête encore bourdonnante, et Saïd qui la regarde, se mord les lèvres d'impuissance, serre les poings.

– C'est bon, Manuel, il s'en va le merdeux. Hein que tu te casses, ajoute Patrick.

Saïd crache au sol, aux pieds de Manuel.

– Ça fait deux fois, et là tu touches à ma bagnole. Alors...

– Alors quoi ?

– On en reparlera.

– C'est ça, ouais.

– T'as expliqué à ton pote comment t'arrondis tes fins de mois ?

– Ta gueule !

Saïd remonte dans sa caisse, rageux comme un animal piégé.

– Bande d'enculés, il lâche en démarrant.

Jo se relève en frottant ses mains contre ses cuisses. Elle a la figure un peu collante, entre larmes et sueur ; elle frotte ses yeux avec le bas de son tee-shirt.

La lippe soudain hargneuse, Patrick s'approche de Manuel.

– De quoi il a parlé ?

– Je sais pas.

– Tu me prends pour un con ?

– Mais non...

– T'es en affaire avec ce bougnoule ?

– Putain lâche-moi !

Patrick se prend la tête à deux mains.

– Mais t'es dingue, Manuel. Qu'est-ce que tu fous,

sérieux ? Avec cette petite merde ! Tu déconnes ? Et tu comptais m'en parler ?

– Vas-y t'es pas ma femme.

– On est potes depuis vingt ans, mec. Vingt ans ! Et tu trafiques dans mon dos avec un minot qui saute tes filles ?

Le poing s'envole, s'écrase sur la pommette de Patrick. Ça craque tout doux, presque moelleux. L'homme se masse lentement avant de foncer comme un bœuf, tête la première dans le ventre de Manuel, les poings martelant ses côtes. Manuel accuse le coup, attrapant Patrick à bras-le-corps pour lui faire lâcher prise. Mais y a pas moyen, l'autre est nerveux et collant comme un moustique. Alors la danse continue, leurs pieds soulevant la poussière comme des sabots, leurs têtes rouges et suantes, les poings serrés, les bras en plomb, muscles tendus. Manuel est le plus fort, mais Patrick est vif, et furieux d'avoir été trahi. Ça redouble ses forces. Leurs halètements dans l'effort et la chaleur ressemblent à des râles d'amour ou d'agonie.

– Arrêtez !

La voix de Jo, comme une ondée. Ils l'entendent à peine. Il faut qu'elle gueule deux fois, trois, avant qu'ils se séparent, bave aux lèvres, nez humides, respirations rauques et erratiques.

– Personne me *saute*, siffle Jo. Vous êtes nuls.

Elle secoue la tête comme une petite mule, les yeux pleins de larmes qu'elle retient de toutes ses forces parce que c'est pas son truc, de jouer les pleureuses. Chialer de douleur parce qu'on s'est pris un pain, d'accord, mais pour le reste, faut savoir rester digne.

– N'empêche que tu trafiques avec lui, insiste Patrick qui ne lâche pas sa rancune, prêt à recommencer la baston.

– On en reparle plus tard, entre nous.

C'est clair, la gosse aurait pas dû entendre ; Patrick s'en rend compte et leur complicité de vieux cons resurgit aussitôt, plus compacte que leur colère.

– Tu connais pas ce genre de mec, Jo. Tu sais pas de quoi il est capable.

– Ce genre de mec ?

– Quand ils trafiquent pas, ils partent en Syrie, ou ils se font péter dans les aéroports.

– Non mais vous nagez en plein délire, là.

– T'as qu'à regarder les infos.

– Tu connais rien de la vie, t'as quinze ans.

– Nous on les connaît, on bosse avec eux.

Les deux enfilent les répliques, face à Jo ahurie.

– On est copains depuis la maternelle, bordel !

– Mais vous êtes plus en maternelle.

Ils font bloc, les deux vieux, vingt ans d'amitié et des bleus sur la gueule. *Vingt ans de connerie*, pense Jo. L'arcade de Patrick saigne un peu. On dirait des gosses à la sortie du collège. Des gosses qui jouent aux hommes, et qui en ont la force.

– Vous mélangez tout, vous comprenez rien.

– Tu te crois plus intelligente ? Je suis ton père, c'est moi qui décide. Je te ramène à la maison.

Patrick essaie d'adoucir l'injonction :

– Allez Jo, fais pas la tronche, monte dans le pick-up, il a raison ton père.

Elle lui lance un regard noir de rage. Elle pense à Saïd qui a fui, la laissant seule face à ces deux gros cons. En se hissant dans la cabine du pick-up, elle sent son portable vibrer. Un sms de Garance pour fixer la date de la fête. Samedi prochain. Dans six jours, elle ira faire la fête avec Garance et ses amis. Un malaise joyeux, une euphorie qu'elle cache comme elle peut, apaise sa rage d'être contrainte, là tout de suite, par le père. Manuel monte à côté d'elle.

– Elle est où ta sœur ?

– J'en sais rien.

Bras croisés, Patrick reste près de la portière. Le sang a déjà noirci, au coin de son sourcil.

Les deux hommes se défient encore du regard, avant que Manuel soupire.

– Je t'expliquerai, Patrick. Demain, je t'explique. On va pas laisser un gamin foutre la merde comme ça entre nous.

Les traits de Patrick se détendent sous l'évidence, la promesse renouvelée. Copains comme cochons. À la vie à la mort, tout ça. Il tape du plat de la paume contre la portière comme on flatte un animal. Quand le pick-up démarre, il se masse la nuque et la mâchoire, inquiet – presque sûr que Manuel a retenu une partie de ses coups. Ça le met mal à l'aise, il aurait préféré que son ami cogne vraiment.

À la vie à la mort

Si l'on avait demandé à Manuel à quel moment ils étaient vraiment devenus amis, Patrick et lui, il aurait cherché longtemps, listant leurs innombrables souvenirs communs, et peut-être, oui, peut-être qu'il se serait arrêté sur cet après-midi huileux de juin 92, lorsque, échappés des cours pour visionner *Ça* dans la chambre du père de Patrick, il avait enfin pu aller jusqu'au bout avec Nathalie dans la chambre d'à côté – des semaines que Patrick prêchait pour son ami auprès de sa cousine, usant de ses propres charmes, éclaboussant son pote d'une aura mystérieuse et charismatique. Ou peut-être qu'il aurait choisi une des nombreuses fois où Patrick l'avait couvert auprès de Séverine, lorsqu'il perdait sa paye du jour en grilles de Loto au PMU. Ou la fois, bien plus ancienne, où ils s'étaient retrouvés bourrés tous les deux dans le bureau du proviseur, échappant tout juste au renvoi, complices dans l'ivresse et le défi.

Mais si l'on avait posé la même question à Patrick, il aurait dit, sans hésitation, que leur amitié avait pris la consistance du mortier ce jour de novembre 90, quand il lui avait présenté sa mère.

Le pion avait débarqué en plein cours. Il avait glissé quelques mots à la prof d'histoire, dont le regard s'était instantanément posé sur Patrick.

– Bardin, vous êtes attendu au bureau de la vie scolaire.

Le ton avait perdu de sa sévérité usuelle, ritualisée par l'affrontement quotidien avec la horde sauvage que formait cette classe d'adolescents dont la testostérone faisait compétition avec la bêtise. À cet instant-là, elle s'était adoucie comme on baisse la garde, parce que le théâtre scolaire s'efface, rattrapé par la vie. Après une légère hésitation, elle avait lâché :

– Gomez, vous l'accompagnez.

Manuel avait bondi, chopant son sac dans l'espoir de ne pas revenir en cours. C'était bien vu : ni l'un ni l'autre n'avaient remis les pieds au lycée ce jour-là. La mère de Patrick avait encore essayé de se foutre en l'air, et cette fois-ci elle avait bien failli réussir, utilisant les fils câblés de la télévision pour se pendre. C'est une cousine qui avait pu intervenir à temps, ramenant à la maison la petite sœur de Patrick après une heure passée au parc. À cause de la pluie, elle était rentrée plus tôt. Elle avait assuré pour une si jeune fille, tapant le numéro d'urgence puis celui de la tante, les doigts tremblants et la gosse sur la hanche. Elle s'en souviendrait longtemps, même installée dans une autre vie, loin de Cavaillon. Peut-être, d'ailleurs, que l'événement n'avait pas compté pour rien dans son désir de fuir. Le corps qui avait pris un drôle d'angle, rien à voir avec la corde sur une poutre et la chaise basculée sous les pieds comme dans les films ; la mère de Patrick s'était entortillé le cou dans les fils sans même les débrancher, et s'était laissée tomber vers l'avant, agenouillée, le poids du haut de son corps appuyant suffisamment fort la trachée contre les gaines en plastique pour créer l'asphyxie. Elle avait pris pas mal de Stilnox avant, pour que ce soit plus simple. Elle avait vomi, un peu. Après, il y avait eu les pompiers, faisant irruption dans le salon, s'agitant autour d'elle. Ils étaient encore là quand les deux gosses avaient débarqué. La tante avait tout de suite appelé le lycée, parce que, dans ces moments-là, rassembler la tribu, même bancale, était un réflexe. Et puis le père ne valait rien, aux yeux de la tante. D'ailleurs Patrick était d'accord avec elle, le père ne valait pas grand-chose, encore moins depuis qu'il s'était barré de la maison.

Pas de casque argenté ni même de sirène au toit de leur camion, les pompiers avaient l'habitude ; c'était pas la première fois, et – coup de bol – ce ne serait pas la dernière. Ils avaient embarqué la mère de Patrick sous les yeux des deux adolescents. Urgences d'abord, et puis un séjour en psychiatrie était prévu. Patrick s'y attendait maintenant, il savait vivre sans, du moment que sa tante ou sa cousine gérait la frangine. Il s'en tirait, au milieu des remugles de crasse et dans l'absence qui virait au vide. Ce jour-là, Manuel bloquait sur le vomi à peine séché au visage de celle que d'autres appelaient *la folle*. Et sur l'appart plutôt dégueulasse dans lequel il n'avait encore jamais été invité.

Patrick s'était longtemps demandé pourquoi il avait entraîné son pote ce jour-là, au-delà de l'opportunité d'une journée sans cours. Peut-être qu'il était temps, peut-être qu'il lui fallait un témoin pour tout ça.

Pour lui, c'est à ce moment-là qu'ils sont devenus aussi unis que des briques collées au ciment. Parce que Manuel avait fermé sa gueule. Fermé les yeux sur l'appart graisseux et laid, sur sa mère grise et folle. Parce qu'après le départ des pompiers, que la tante avait accompagnés, Manuel avait ramassé entre deux coussins du canapé une jaquette de VHS et avait proposé, comme un mercredi de routine :

— On se mate *Terminator* ?

Les bords de la Durance

Le liquide gluant et froid, étalé sur son ventre, a surpris Céline. L'échographiste, en gestes experts, a lissé le gel, appuyant parfois, insistant sur certaines zones. Un peu brusque, un peu raide, tendue par la jeunesse de sa patiente, la présence pesante et silencieuse de la grand-mère. Séverine a refusé d'accompagner sa fille. Le boulot, elle a dit, mais Céline a très bien compris.

Elles voulaient savoir et pourtant elles n'ont rien dit, ni la vieille ni la jeune, quand l'échographiste a annoncé, sans relief dans la voix :

– C'est une fille.

Une malédiction ça se répète, c'est même le principe, fallait pas croire qu'on pouvait changer le cours des choses. Céline, ça commençait tout juste à prendre forme dans sa tête, cette vie dans son ventre. Alors le sexe de l'enfant… Mais la grand-mère, elle, a serré les dents.

En sortant du cabinet médical, la vieille femme est allée faire des courses. Céline a rejoint sa sœur, un coin spécial près de la Durance, la grosse rivière molle qui jouxte le lycée général où Jo entre en septembre et où Céline n'ira jamais. Il y fait frais. On raconte que les junkies viennent se shooter ici. On croise parfois des putes, celles qui n'ont pas les moyens d'officier dans une Clio d'occase à l'orée des chemins viticoles. On marche sur des capotes usagées, parfois, entre les roseaux et le lit caillouteux de la rivière. Ça n'a rien de très bucolique.

– Alors ?

– Alors quoi ?

– Il est entier ? Pas la tronche en biais comme toi ?

– Elle.

– Ah.

– Ouais. Et ma tronche en biais elle t'emmerde.

Même pas suffisamment d'énergie pour s'engueuler. Elles ne se regardent pas, lancent leurs regards dans les remous pollués, scintillants, comme si l'autre rive était plus intéressante. Alors que de l'autre côté, c'est déjà Orgon, ville-dortoir – Cavaillon en pire. Rien à espérer de ce côté-là ; il faudrait emprunter l'autoroute qui démarre à cent mètres de là, et rouler jusqu'à Marseille au moins, pour espérer un ailleurs conséquent. Elles entendent les voitures, le bruit chargé du rond-point qui dépasse celui de l'eau. Au cœur du rond-point : un melon géant, remplacé par un père Noël clignotant dès le 2 décembre. De l'anse où elles s'en grillent une, jetant des caillasses dans l'eau, elles ne voient pas la route, ni le Decathlon, ni le McDo. Elles les devinent seulement.

– T'aurais préféré un garçon ?

Céline hausse les épaules sans répondre.

– Tu t'en fous ?

– Je sais pas. Peut-être, j'en sais rien.

– Tu vas faire quoi ?

– Comment ça ?

– Tu vas retourner au lycée, après ?

Céline secoue ses cheveux, jette sa clope dans la Durance.

– Ça me fout la gerbe.

– La clope ou le lycée ?

– T'es conne. C'est toi qui me fous la gerbe.

Elles laissent le silence s'installer, familier. Ça siffle entre les joncs, une toute petite brise. Et puis Céline reprend :

– Je m'en fous du lycée. Toute façon, le bac pro, je l'aurais pas eu. Je m'en tape d'arrêter, ça m'arrange, même. C'est toi l'intello de la famille.

– Ben voyons.

– Regarde, tu traînes même avec des bourges de Saint-Jo maintenant.

– Ta gueule !

Le rire de Jo résonne bas, elle bascule en arrière, s'allonge en appui sur ses coudes.

– Toi, tu vas bosser avec les grands-parents toute ta vie, le pied.

– Peut-être. En tout cas, mamie pourra m'aider, parce que si je compte sur maman…

– C'est clair.

– Je chercherais du boulot. Si j'ai une place en crèche, je verrai.

Elle dit ça tranquille, comme si de rien n'était, mais finalement ça la soulage presque, de pas retourner au lycée. Le jour du Corso, elle a bien vu que les choses avaient changé, et pas en mieux. Même Manon, elle a rien compris, s'extasiant sur le ventre de Céline, délirant complet sur le môme à venir, genre *ça va être trop chouette, c'est tellement mignon les bébés, en vrai t'as trop de la chance !* Céline a rien dit, c'était toujours mieux que les regards désolés des autres, ces sourires gênés qui disaient qu'elle avait basculé dans un autre monde et qu'il n'y avait pas de retour en arrière possible.

– Tu lâcheras rien, pour le père ?

– Non.

– Franchement, tu pourrais au moins le faire raquer.

Le regard de Jo fouille sa sœur, elle insiste avec les yeux.

– Je veux rien lui demander, laisse tomber.

– Bon, au moins t'as l'air de savoir qui c'est, ça me rassure.

– Ça va, tu fais chier, je suis pas une pute.

La course des semi-remorques passe le pont au-dessus de la Durance ; les filles suivent des yeux le défilé.

– T'es allée voir pépé à l'hosto ?

– Non, mais bientôt.

– On se tape un McDo ?

– Ouais, et puis après on rentre se faire canon pour ta fête de bourges.

Leurs yeux se perdent au-delà de l'autoroute. Vues des voitures, elles sont aussi minuscules que des souris.

Préparatifs

Il y a des mecs, cité Docteur-Ayme, qui sont prêts à défoncer n'importe qui pour peu qu'on leur en offre l'opportunité. Saïd en connaît plusieurs. Il voulait bien faire un effort à cause de Jo et Céline, mais là, c'est allé trop loin, ces vieux cons vont morfler. Seul, il ne peut pas leur tenir tête, mais la prochaine fois, il ne le sera pas. Bien sûr, ça va mettre fin à ses affaires avec Manuel. Mais il connaît du monde : question business, ce ne sera pas difficile de trouver un autre maçon prêt à rafler deux-trois vieilleries sur les chantiers de bourges. On est même au-delà de la bourgeoisie parfois, mais au-delà on dit quoi ? Certains de ses potes diraient *Gros enculés pétés de thunes*. En réalité ces gens-là ne dérangent pas Saïd. Ils sont une manne pour la survie de son job. Tant qu'il y aura des riches, il saura en profiter, se glisser dans les ornières et faire plaisir à tout le monde – en se servant au passage. Au final, Saïd, comme Manuel et Patrick, est un gagne-petit : ses bénéfices feraient hurler de rire le moindre propriétaire de villa. Mais l'ordre des

161

choses ne le dérange pas, et sa gourmandise reste raisonnable. Un jeune homme prudent, adapté à son époque. Mais il a en revanche, atavisme fréquent, le besoin de défendre son territoire. On ne touche pas à sa bagnole, un point c'est tout. Et on ne le menace pas comme ça. Saïd a du respect pour les vieux, encore plus pour le père de ses copines, mais il faut mettre les choses au point, pas se laisser marcher dessus, pas laisser ces mecs lui manquer de respect. Alors il a appelé deux copains, et il les attend de pied ferme. Trois c'est bien. Suffisant pour impressionner les deux autres, et pas trop nombreux non plus, que ça ne ressemble pas à un passage à tabac. Il attend devant chez lui, appuyé contre sa bagnole, en roulant un joint. De temps en temps, il jette un œil sur le rétro arraché qui pend au bout des fils, et ça lui fait remonter la colère. C'est bien. De petites vagues, qui entretiennent le mouvement, le rassurent quant à la légitimité de son projet. Bien sûr, il y a aussi le boulot à la propriété, son job de saisonnier, celui de sa mère surtout. Mais c'est une histoire entre hommes, Manuel n'irait pas baver sur lui auprès de son beau-père. Ou bien si ?

Coup d'œil sur le rétro – il a bien fait, il a raison. Une taffe, longue, les yeux fermés. Les copains n'arriveront pas tout de suite, il a le temps. La chatte passe en miaulant, l'œil fou : cette conne n'a toujours pas compris qu'elle ne reverra pas ses petits, elle les cherche partout depuis des jours. Il serre les dents – il s'en fout, merde,

c'est qu'un animal après tout. Saïd recrache la fumée
épaisse par la bouche et le nez, en pensant aux jambes
de Johanna.

*

Elle a hésité mais pas longtemps, optant pour un tee-
shirt noir et un short en jean, des spartiates. Et puis elle
s'est maquillée, pour tout enlever avec du coton et de la
crème, et recommencer. Le simple fait d'y passer du
temps et d'hésiter l'a mise en colère. Alors au lieu de se
réjouir, Jo entretient en ce début de soirée une hargne
tenace, qu'elle reporte sur sa sœur. Impossible pour elle
de reconnaître simplement qu'elle a peur, peur de se
retrouver dans une fête où elle n'est amie qu'avec une
seule personne – et encore –, peur de ne pas aimer les
gens, peur de ne pas être aimée. Elle imaginait qu'elle
s'en foutait, de tout ça.
   – Tu vas mettre ces trucs-là ? Sérieux ?
   Jo dévisage Céline et ses boucles d'oreilles en plumes
rouges.
   – T'aimes pas ?
   – C'est moche. On dirait... je sais pas, j'aime pas.
   – Tu m'emmerdes. Toujours tu critiques.
   – Mais non.
   – Si, encore plus depuis que t'as des nouveaux potes.
   – C'est pas mes potes. Et je les ai pas attendus pour
critiquer tes fringues.

– C'est vrai, t'es vraiment une connasse.

– Ou tes bijoux de pétasse.

– La pétasse, elle sait se maquiller, elle.

Un mélange de déconfiture et de rire gamin s'affiche sur le visage de Jo. Elle est vraiment jolie quand elle sourit, ses fossettes comme des hameçons dans le creux des joues. En vieillissant elle sera même sans doute plus jolie que sa sœur, mais ce n'est pas encore flagrant, elle peine à exister en chair.

– Allez, aide-moi, mais t'en mets pas des tonnes.

Dans le couloir, les pas de la mère, alors qu'elles pensaient être seules. La porte s'ouvre brusquement.

– Tu pourrais frapper !

– Tu veux pas non plus que je demande l'autorisation.

– Ben si.

– La ramène pas, Céline, et change de ton.

La gosse soutient le regard, dernière fierté avant la fissure.

– Vous comptez aller où ?

– Une fête, à Gordes.

– Tes nouveaux copains ? demande Séverine, le menton pointé vers Johanna, qui grogne pour acquiescer.

La mère dévisage Céline.

– Toi, t'y vas pas.

– Hein ?

– T'y vas pas, c'est tout.

Séverine se rend bien compte que c'est très con, de

batailler pour que Céline reste. Avec un peu de chance, Manuel traînera avec Patrick après le boulot ; elle l'engueule souvent à cause de ça, mais dans le fond elle aime bien – être seule et pouvoir l'engueuler. Elle se demande si elle a encore le pouvoir d'empêcher sa fille de faire quoi que ce soit, sans le soutien de la menace paternelle. Elle connaît la réponse.

Des larmes rageuses apparaissent aux coins des yeux de l'adolescente.

– J'ai seize ans !

– T'as seize ans et tu restes ici. Tu t'es vue, avec ton ventre ?

– Et alors ? Ça empêche de faire la fête, de voir des gens ?

– Tu restes ici, c'est tout.

Au fond, la mère et la fille savent que Céline sortira quand même, par la fenêtre s'il le faut. Mais au moins, elles font semblant – c'est important. Séverine se tourne vers Jo, assise sur son lit, genoux serrés et coudes appuyés dessus.

– Tu y vas avec qui ?

Jo aimerait bien dire que c'est dans la caisse de Saïd qu'elles vont à la fête, juste pour faire chier sa mère, mais en vérité, elle n'a pas reparlé à Saïd depuis la dernière fois. Elle ne lui pardonne pas vraiment d'avoir fui en la laissant seule avec son père et Patrick. Mais surtout, même si elle a du mal à l'avouer, elle n'a pas envie de tout mélanger. Elle est déjà un peu inquiète de se pointer là-bas avec sa sœur, alors avec Saïd... Elle se répète que de toute façon, il s'ennuierait, alors pas la peine de prendre le risque.

— La sœur de Garance vient me chercher en voiture.

— Ici ?

— Non, au village.

Presque un cri de Jo, une inquiétude dans sa réponse. Ça blesse Séverine, qui se souvient qu'elle aussi, au même âge, aurait préféré attendre les copains au bout du chemin plutôt que dans la cuisine de la ferme, sous le regard des vieux. Elle se demande si elle est vieille à son tour, resserre sa queue-de-cheval en la séparant en deux mèches et en tirant dessus.

— Reste dormir sur place, si tout le monde a bu.

Avant de quitter la chambre, dans un élan qu'elle ne saurait s'expliquer, Séverine caresse une plume écarlate, à l'oreille de sa fille aînée.

— C'est joli, ça. Elles te vont bien.

Quand Jo sort, Saïd ne la voit pas. Il lui tourne le dos, à trente mètres, les fesses appuyées sur l'aile avant de sa caisse. Jo fait signe à sa sœur, file sans bruit jusqu'au chemin goudronné. En attendant Céline qui passe par la fenêtre, elle observe une ondée de pipistrelles qui rasent la cime des cerisiers, s'engouffrent sous les toits des maisons émiettées le long des champs. On dirait le vol des cendres au-dessus d'un brasier de papiers. Jo aime bien, ça la rend un peu triste sans qu'elle sache pourquoi, et sans que ce soit désagréable. Un espace de douleur et de plénitude – la beauté lui fait souvent cet effet-là. Elle est encore jeune : il lui faudra du temps avant d'identifier l'indicible, ces îlots de sublime au milieu du chaos, ces fugacités qui sauvent.

– Qu'est-ce que tu regardes ?

Céline essuie la sueur sur ses tempes, au-dessus de sa lèvre, en dévisageant sa sœur. Un peu essoufflée elle enchaîne, relevant ses cheveux d'une main et les faisant tenir avec une pince :

– Je peux presque plus passer par le muret, avec mon bide.

– T'as changé de boucles d'oreilles ?

– Maman les trouvait jolies. C'était suspect.

Devant la croix, à l'entrée du village, une Laguna blanche les attend. La sœur de Garance est ponctuelle.

Chef de chantier

Ça monte depuis le matin : une ambiance pourrie et des saloperies dans son dos, il en est sûr. Manuel regarde les autres sans chaleur, bosse en silence. Patrick lui tape sur l'épaule, de temps en temps, pas trop non plus, ça reste tendu. Maintenant qu'il est au courant pour le trafic avec Saïd, ça va quand même mieux : Manuel lui a expliqué, en venant sur le chantier. Il l'a pris dans son pick-up au croisement de Coustellet, devant le tabac, et a lâché le morceau en route. *C'est pas un bougnoule qui va foutre en l'air notre amitié.* L'autre a rien dit, il a gardé les dents serrées et les yeux plissés sur le bout de la route pendant que Manuel racontait. À présent, entre deux pelletées de ciment, il peut pas s'empêcher de revenir à la charge.

– Pourquoi tu m'as pas dit ?

– Je sais pas, la première fois c'était sur un coup de tête, et comme le gamin bossait sur la brocante, j'en ai causé avec lui.

– T'aurais pu me mettre dans le plan, tu sais que je croule pas sous le pognon.

– Il m'a dit qu'il fallait que ça reste entre nous.

– Putain Manuel…

– Ouais, je sais, je sais.

Ils se taisent ; le soleil d'après-midi crame leur peau. Leurs dos sont bruns comme ceux des Arabes.

– Tu vas faire quoi ?

– Comment ça ?

– Avec l'autre petite merde, là, tu vas faire quoi ?

– Je sais pas. Si c'est lui qui a fait ça à ma fille…

Il lève les yeux pour voir si quelqu'un écoute. Les autres ouvriers ne le regardent pas, et cette volonté de l'éviter – pour ne pas le mettre mal à l'aise – fait l'effet inverse. Évidemment, tout le monde en a parlé, de la petite. Belle, offerte aux regards avec ses tops à bretelles et ses jeans slim. Trop jolie sans doute. Manuel imagine qu'ils rient dans son dos. C'est faux. En réalité, les gars le plaignent, et s'ils s'autorisent entre eux quelques considérations un peu salaces, ce sont à leurs yeux des compliments d'hommes. Sûr que Manuel n'aimerait pas, même s'il est capable de faire les mêmes vannes au sujet de la serveuse du Fin de siècle, du même âge que Céline. Il ne fait pas le lien.

– Si c'est lui qui a mis Céline enceinte…

Il se répète, pour que l'idée pénètre.

– Si c'est lui, putain… je vais le tuer. Lui rétamer sa petite gueule de rat.

Quand la proprio jaillit hors de la véranda en plein chantier pour voir l'avancée des travaux, ses sourcils froncés barrent son joli front. Elle est furieuse : les dalles d'Italie ne sont pas encore posées en margelle.

Ils foutent quoi, ces ouvriers dans son jardin ? Elle les paye à discuter ?

Manuel sent une vague de rage lui labourer le bide. C'est à elle qu'il devrait rétamer la gueule, mais ça ne s'inscrit pas. Peut-être parce que c'est une femme. Elle est en maillot de bain bleu marine, avec une chemise en lin qui descend à mi-cuisses et un chapeau de paille dont les bords larges retombent en vague autour de son visage rendu maussade par l'agacement.

– C'est vous le chef de chantier ?

– Ouais, marmonne Manuel.

– C'est vous qui donnez les ordres à tous les… autres ?

– C'est moi, ouais.

Pour le coup, il se sent plus si fier. Pourtant, ça lui a fait plaisir que le patron lui file la responsabilité du chantier. Mais sous le regard mauvais de la conne sur ses grands chevaux, ça le fait chier d'être obligé d'assurer. Il lui dirait bien le reste, à la bourgeoise. Déjà que les dalles en marbre à mille euros pièce, ça lui est resté en travers.

Elle grimace en regardant ses espadrilles à talons s'enfoncer dans la terre meuble.

– Je vous préviens, si la terrasse et le bassin d'agrément ne sont pas bouclés dans les trois jours qui viennent, je ne suis pas sûre de vous payer.

– Pardon ?

– Écoutez, ça fait un mois que mon jardin est envahi, la terre retournée, ma terrasse inaccessible, sans parler de la piscine. On est le 10 août !

– Votre fille se marie le 18, c'est ça ?

– C'est pas seulement le mariage de ma fille. Ce sont mes vacances !

Manuel regarde le reste de l'équipe, les huit gars qui continuent de bosser silencieusement, l'oreille attentive à l'échange mais l'air de s'en foutre.

– Je pars tout à l'heure pour deux jours, à Menton. Quand je reviens, les travaux seront finis.

– Je sais pas si…

– Votre patron avait dit que ce serait terminé début août.

Dans une volonté manifeste d'obtenir une réponse claire et humble, vu que Manuel ne desserre plus les dents, la femme sort son portable de la poche de sa chemise.

– Je l'appelle pour le lui rappeler ou vous pensez pouvoir faire accélérer les choses tout seul ?

– Ça ira.

Un aboiement sec.

Il attend qu'elle retourne au frais, derrière les rideaux translucides de la véranda, pour interpeller les gars.

— On se bouge, les mecs. Vous avez entendu comme moi.

— Et les heures sup, c'est elle qui les paye ?

— Putain le Gitan, ta gueule ! coupe Manuel. T'es avec nous depuis deux semaines et je te vois pas souvent au-delà de 18 heures, alors la ramène pas trop.

Le jeune mec jure et crache. Sa femme vient d'accoucher du deuxième, faut bien qu'il rentre quand même.

— Ah ouais ? Ton deuxième et ta femme ? Et hier c'est au PMU que tu la retrouvais ta femme ? Elle bosse au bar, maintenant ?

L'autre s'approche, pas du tout l'air d'avoir envie de rire. Les autres posent leurs outils. Ça lui va pas trop, le rôle de chef, à Manuel. Ceux qui le connaissent trouvent rien à y redire, il est fort et capable, et puis c'est toujours provisoire, mais le jeune Gitan n'est pas là depuis longtemps. Pour lui, Manuel est juste un chef, et il n'aime pas les chefs.

Avant que le Gitan n'ait eu le temps de se planter devant Manuel pour l'inviter au combat, deux gars l'ont déjà ceinturé pour lui éviter de faire une connerie. Manuel siffle :

— Laissez-le. Comme ça on parlera aussi des tuyaux de cuivre qui ont disparu y a deux jours…

— Arrête, Manuel, dit Patrick, la blonde elle regarde, elle va appeler le patron si ça vrille.

Portable en main, l'autre agrippée au rideau, elle a les yeux écarquillés et n'attend qu'un signe de violence pour appeler les flics – bien avant le patron. Manuel écarte les mains, lève bien haut les paumes et jette un petit regard à la propriétaire.

– Vous inquiétez pas, il lance un peu fort. Vous inquiétez pas, y a rien, là. Ça roule, voyez ?

Elle disparaît derrière le rideau. Les mecs sont mal. Immobiles dans la chaleur poisseuse, ils attendent comme des enfants, se jetant des regards inquiets ou bravaches. Lentement, ils se remettent au boulot. Le Gitan tente de défier Manuel du regard avant de s'y remettre, mais c'est trop tard, l'instant est passé, Manuel l'a déjà oublié.

Ils bossent une heure ou deux, le temps que les collines alentour perdent en blanc et virent au doré. La propriétaire reparaît, habillée cette fois, lunettes de soleil sur le front et sac à la main. Elle ne sourit pas, ne salue personne. Elle se dirige juste vers Manuel et lui tend les clefs de la maison, un trousseau tenu par un fer à cheval qui pèse lourd dans la paume du maçon.

– Deux jours. Je vous fais confiance.

Son ton excédé dit le contraire, mais elle n'a pas vraiment le choix. Personne ne reprendrait les travaux en cours si elle virait cette équipe-là. Et puis les autres ne seraient pas mieux, elle le sait, mon Dieu qu'ils sont lents, c'est quand même pas compliqué de terminer un travail en temps et en heure, ces types du Sud, on dirait que tout leur passe au-dessus de la tête : l'importance des choses, des délais, le respect. Elle monte dans l'Audi grise, elle est fatiguée. En fouillant dans son sac, elle met la main sur ses cachets codéinés, en avale un à sec en attendant que le portail automatique lui ouvre le passage. Les gars se redressent tous pour regarder disparaître la voiture au bout du chemin, entre les vignes.

Le matos a été rangé en silence. La bétonnière et le reste : enfermés dans le garage. Dans le coin, tout ce qui peut être volé l'est, ils le savent tous, aucun maçon n'aurait l'imprudence de laisser traîner ses outils sur un chantier. Chacun est rentré chez soi, personne n'a fait allusion à rien, et ce grand silence du soir a pesé lourd. Il aurait fallu, comme souvent en pareil cas, descendre en ville et boire tous ensemble jusqu'à la cuite – mais pas un ne l'a proposé. Ce n'est pas la première fois qu'un proprio les met au pied du mur, le problème n'est pas là. Le problème, c'est Manuel et cette impuissance qui enfle, les faisant tous vaciller. Si l'un d'entre eux se fissure, et pas le plus fragile, ça veut dire qu'aucun d'entre eux ne peut être épargné. Alors ils mettent la distance, comme une lisière de protection. Sauf Patrick, qui malgré le silence a su embarquer son ami jusqu'à Robion, village-dortoir mais pourvu d'un bistrot sympa. Ils ont enquillé quelques mauresques au comptoir du Petit Cheval, sans rien dire. La pression, pourtant, ne redescend pas. Le pied de Manuel s'agite nerveusement contre la barre, au sol. Il fait tourner son verre d'un geste sec, compulsif, comme on remonte une horloge. Quand il tend le bras pour payer, le patron s'approche et refuse, *c'est pour moi*, qu'il dit, pourtant ça fait beaucoup, six verres au moins, ça plaît pas trop à Manuel.

– Il a pitié ou quoi, cet enculé ?

– Arrête, il t'aime bien c'est tout.

Mais Manuel voit des yeux partout, des rires, et dans chaque gentillesse une insulte. Chaque homme croisé qui connaît l'histoire lui donne l'impression d'avoir baisé sa fille.

– J'ai du whisky dans la voiture, il finit par dire. On va chez moi.

Alors ils saluent les buveurs d'un geste vers le front, touchant des chapeaux imaginaires qu'ils n'ont jamais portés.

Ils roulent en silence, vite. Ils croisent une Laguna blanche, mais personne, de part et d'autre des deux voitures, ne réalise qui est qui. De toute façon, ça n'a pas d'importance, juste un hasard sans conséquence.

Quand ils arrivent dans le lotissement, il fait presque nuit et la lumière des phares saisit Saïd, appuyé contre sa voiture. Seul.

La longue nuit

– T'as pu venir, c'est super ! Et t'es venue avec…
– Ma sœur, Céline.

En deux-pièces blanc et mouillé, la main agrippée au portail de la villa, Garance ne peut s'empêcher d'écarquiller les yeux sur le corps plein de Céline, son ventre moulé dans un tee-shirt *Love don't pay the bill*. Elle oscille, cherche dans l'attitude de Céline un signe qui lui indiquerait comment réagir, s'enthousiasmer ou pas, trouver un mot. Comme elle ne trouve rien à dire, Garance se rattrape par un sourire plein de gentillesse comme savent le faire les gens avec qui la vie l'a souvent été. Elle secoue ses cheveux trempés, lissant sa tête des deux paumes.

– Venez. On a mis le buffet à l'extérieur. Pour l'instant tout le monde se baigne. Vous avez vos maillots ?

Les filles suivent, découvrent le bassin de trente mètres en mosaïque, rempli de jeunes en maillot de bain, sautant dans l'eau turquoise. La nuit tombe.

– Je vais allumer les projos, annonce Garance.

Les filles la suivent du regard, elle entre dans la maison en courant, blonde et parfaite.

– Tu les connais, les autres ?

Jo affronte la masse des yeux, balaye sans regarder vraiment.

– Le mec qui fume dans le transat là-bas. Et les deux filles qui rigolent avec les jambes dans l'eau. Je les ai croisées une fois.

– Il est pas mal, ce mec. Comment il s'appelle ?

– Côme.

– Hein ?

– Côme.

Elles se taisent. Céline se dirige vers le buffet pour attraper deux bières. Les regards se posent sur elle, son ventre, ses yeux, son ventre, ses seins, son ventre encore. Il y a du mou dans les discussions. Elle dit bonjour, et puis elle décapsule les bières avec un briquet, consciente d'être observée. Les capuchons dentelés rebondissent sur le sol, roulent vers le bassin. Elle ne se baisse pas pour les ramasser.

Jo a chaud et son cœur bat vite. Elle a soudain envie de fuir mais la grande piscine lui fait de l'œil ; s'immerger dans le bleu, contrecarrer la sueur et les picotements à la racine des cheveux. Sa sœur lui tend une bière.

Du fond de la piscine jaillit le faisceau des projecteurs, teintant les visages d'un turquoise cinématographique. Un cri collectif accueille la lumière, et une grappe de baigneurs se jette à l'eau. Ils sont beaux, tous, jeunes et en bonne santé, et ça semble banal. Les corps tendus, lisses et bronzés, se croisent et se collent dans un ballet joyeux d'hormones en ébullition. Côme s'approche d'elles et tend son verre pour trinquer avec leurs bières. Debout, il est très grand, une tête de plus que Jo, et une musculature de joueur de badminton. Céline lui sourit.

– Je vais me changer dans la salle de bains, souffle Jo.

Côme rigole avec la tête penchée sur le côté, des fossettes creusées dans son visage encore enfantin malgré ses postures.

– Va pas dans celle du bas, elle est occupée… Monte au premier, au bout du couloir, troisième porte à gauche.

Il a lancé ça à Jo qui s'éloigne, sans lâcher Céline des yeux.

Dans la maison, Jo fait semblant de ne pas être surprise. Tendue et méfiante, elle regarde les canapés d'angle dans ce salon de cent mètres carrés et la contrebasse posée contre un mur, les partitions en désordre sur une commode. Elle a oublié les conseils de Côme ; c'est seulement devant la porte de la salle de bains qu'elle s'en souvient, alertée par des halètements. La fille couine doucement et la porte est entrouverte. De ce que Jo en devine, ça a l'air agréable. Elle jette un œil à l'intérieur : un dos lisse et bronzé et les jambes d'une fille soudées aux hanches du mec. Elle accroche le regard de la fille, qui n'a pas l'air gênée – au contraire. Ses pupilles pleines et son rire, soudain. *Elle est défoncée*, pense Jo, étrangement soulagée que ce ne soit pas

178

Garance. Elle a pitié de cette fille, assez conne pour se laisser sauter aux quatre vents et contre un lavabo, être vue par d'autres. Comme si elle ne savait pas qu'une réputation, ça te suit tellement fort que ça peut te transformer en ce que les autres veulent. Jo a pitié mais l'intérieur de ses cuisses chauffe quand même drôlement, et elle reste figée un peu plus longtemps que nécessaire, fascinée par la mécanique du couple. Quand elle se tire enfin, les images l'accompagnent, comme le rire de la fille. Et la voix du type, en écho.

– Qu'est-ce que t'as ?

– C'est rien, continue, t'arrête pas.

Jo accélère, s'égare près de la cuisine où d'autres jeunes gens s'agitent, empilent de la nourriture dans des assiettes, rient si fort qu'elle a envie de rire aussi, même sans savoir pourquoi. Mais elle n'est pas amie avec eux, alors elle longe un couloir en bibliothèque, écrasée par les titres qu'elle ne connaît pas. En montant à l'étage, elle se fait l'effet d'une princesse, imagine qu'elle est chez elle. Mais en fait ça ne fonctionne pas – elle secoue la tête, pense à des brasiers.

Elle entrouvre des portes, des chambres en enfilade aux couvre-lits écrus, trouve enfin la deuxième salle de bains, grande comme un salon, avec une baignoire et des vasques jumelles.

Dans le miroir en pied, elle se regarde sans indulgence et se déshabille lentement. Le son n'arrive même pas jusqu'ici tellement la maison est grande.

Dans le silence ouateux elle fouille, en culotte, les tiroirs de la salle de bains. Crèmes, parfums, cachets. Serviettes blanches moelleuses, pliées comme dans une boutique. Elle abandonne ses incursions.

Les fesses appuyées contre le lavabo, elle glisse une main contre son sexe, sans enlever sa culotte : une feinte – la barrière du tissu sur sa main lui donne une impression d'innocence, de cachotterie avec soi-même. Les lèvres gonflées, rendues humides par le va-et-vient de ses doigts, elle repense au couple, en bas. Et à Saïd, un peu. Jo se cambre et serre les jambes en même temps, respire fort mais sans gémir – elle connaît l'art de la dissimulation. Quinze ans à partager sa chambre avec sa sœur, il a bien fallu apprendre la discrétion. Quinze ans à ne pas avoir de lieu à soi, à tout entendre au travers des murs épais comme du carton, quinze ans à rêver d'intimité. Maintenant elle sait faire, n'importe où, n'importe quand. Il lui est même arrivé de se faire jouir en public, en serrant les dents et les cuisses, quand elle s'emmerde trop en cours. Mais parfois, au hasard d'un vide, d'une pièce rien qu'à elle pour quelques minutes, elle en profite.

*

– Monte.
Saïd regarde les deux hommes sans inquiétude. Ses potes vont arriver, il se sent fort. Il ne répond pas, secoue la tête en rigolant.

– Monte, on t'a dit.

Rauque, griffée de hargne, la voix de Manuel éclate dans le noir. La main sur la poignée du pick-up, on dirait qu'il pense que Saïd va obéir, qu'il lui suffit de hausser le ton comme avec un môme capricieux. Mouvement de tête vers la cabine, dents serrées.

– Faut qu'on vienne te chercher ?

– Je bouge pas d'ici et je vous jure que...

Manuel lâche la portière. Sans que Saïd ait le temps de voir venir quoi que ce soit, le pied de Manuel lui écrase violemment les couilles. Douleur blanche : il se plie en deux, sans souffle. La douleur est telle qu'il titube et tombe à genoux, les mains en coquille sur son sexe, les yeux larmoyants. Dans sa tête, mille insultes qui ne peuvent émerger puisqu'il bave, au bord de l'évanouissement. Patrick le soulève par un bras, Manuel par l'autre. Ils le tirent vers le pick-up, pieds et genoux traînant dans la poussière. Les mains toujours arrimées à son entrejambe, Saïd écarquille les yeux malgré les larmes. Ça va très vite. Les deux le hissent à l'avant, Patrick fait le tour et s'installe à sa droite, tandis que Manuel démarre.

– Enculés ! souffle enfin Saïd, recroquevillé entre les deux maçons.

– Ta gueule.

Manuel roule vite, le regard tendu vers la route, dans la lumière jaune qui balaie le goudron.

Ses potes vont arriver mais trop tard, Saïd le

comprend entre deux spasmes. Ce qu'il ne comprend toujours pas en revanche, c'est la haine de ces deux-là, et ce qu'ils lui veulent, vraiment. De la thune, il en a gagné c'est vrai, mais pas de quoi se payer une villa, ça c'est sûr. Des à-côtés, des un peu plus que moins que rien, pas le magot non plus. Il y a sa caisse, bien sûr. C'est pas qu'il a voulu flamber, mais les bagnoles il a toujours aimé ça, et c'est la première fois qu'il pouvait s'en offrir une qui soit pas un veau. Ses contacts lui ont toujours dit, pourtant : fais pas le malin, profil bas et ça ira bien. Faut pas changer les habitudes, surtout dans un bled. Les gens aiment pas qu'on sorte des cases, ça leur rappelle qu'ils sont dedans.

Ils roulent un bon moment, en silence. Saïd a mal. Il retrouve son souffle mais ça lance toujours, la douleur. Il tâte, caresse, soupèse : tout est encore en place, ça le soulage drôlement.

La route se fait plus chaotique, les roues mordent les talus d'herbes sèches à s'enflammer au moindre mégot. Manuel a l'air de savoir où il va. Il pile enfin devant un grand portail, massif et scandaleusement ouvragé. De sa poche, il extirpe le trousseau cliquetant avec le fer à cheval au bout – ses mains tremblent un peu – et actionne l'ouverture.

Il est 23 heures et des poussières lorsque le pick-up, après avoir roulé doucement sur le tapis de gravillons, va se garer contre la porte du garage.

*

Céline rit à tout ce que dit Côme. Il est plein d'humour, mais elle ne comprend pas toutes ses vannes. Il le sait, il le fait exprès. Ça l'amuse de voir que cette fille s'esclaffe chaque fois qu'il en sort une. Il a l'impression d'être seul du coup, mais il aime bien être au-dessus, à côté, se faire rire lui-même. Il en jouit, de sa solitude supérieure, c'est sa came. Et puis elle est belle, cette fille enceinte sortie d'on ne sait où. Pas le genre de la maison, c'est sûr, et ça, ça l'excite drôlement, le fils de bonne famille. Et comme son intelligence lui offre l'élégance d'un cynisme vaguement désespéré, il s'autorise à penser que oui, ce serait amusant de la sauter, avec son gros ventre et sa vulgarité qui affleure sous chaque éclat de rire. Ce serait beau, décadent, nouveau. Il s'ennuie tellement.

– Mais quoi ? Pourquoi tu me regardes comme ça ?

Céline glousse et entame la troisième bière que lui tend Côme.

Il se sent dégueulasse, et il trouve ça délicieux.

Des copains se sont approchés, s'intéressent à la nouvelle. Côme laisse faire, il aime aussi avoir du public. C'est du tout cuit : il se sent fort, prêt à jouer au bourreau et au protecteur. En même temps, il n'a jamais forcé personne, n'est-ce pas. Il est certain qu'elle en a envie, que c'est elle qui le lui demandera. Cette idée le rend dingue, il bande à moitié dans son Speedo bleu nuit.

En buvant sa bière à petites gorgées, Céline se dit qu'elle a bien fait de venir. Que ça la change des saisonniers, que ces gens savent faire la fête. Elle ne voit ni mépris ni jugement dans leurs yeux, elle les trouve beaux, et drôles, et ils ont l'air de la trouver jolie. Céline a seize ans.

*

Le fauteuil Voltaire est parfait. Manuel l'a pris dans le salon et l'a porté jusqu'au garage, pendant que Patrick maintenait Saïd au sol, un bras dans le dos. Le gamin n'a pas compris tout de suite que la situation était grave, il a continué de palabrer, humilié mais pas encore inquiet. Ou pas suffisamment, disons.

Manuel déroule une longueur de chatterton, emprisonnant un peu plus fort les poignets de Saïd sur les accoudoirs, et lui entoure le ventre avec le reste.

– Fais pas ça, Manuel. T'es barge, putain, je sais pas pourquoi tu…

Patrick boit une gorgée de whisky, pose la bouteille dans un coin, ramasse un rouleau de PVC d'une main. Il fait une drôle de tête en regardant le jeune saucissonné au fauteuil Voltaire. C'est presque comique, sa tête auréolée de clous de tapissier, appuyée sur le velours rouge, et ses bras posés sur les accoudoirs en bois ouvragé.

– Il a dit quelque chose ?

Manuel secoue la tête. Un tic nerveux agite sa bouche, comme un sourire mécanique qui remonte d'un seul côté. Un mouvement irrépressible, qu'il sent palpiter contre sa joue. Saïd les regarde l'un après l'autre, hagard. Il crache par terre.

– Vous êtes malades, putain, j'ai rien fait ! T'entends ?

– Hein ? T'as dit quoi ?

Manuel boit au goulot, et puis il pose la bouteille au sol.

– Tu nous as traités de malades ?

Le tuyau en PVC vient éclater la pommette du gamin.

– Bande de tarés, gros connards de merde, vous savez pas ce qui vous attend…

– Non, *toi* tu sais pas, chuchote Manuel, l'haleine chargée. Toi tu sais pas dans quel merdier tu t'es mis le jour où t'as touché ma fille.

Saïd reste interdit, bouche entrouverte.

– Le jour où tu l'as mise en cloque et que t'as continué de faire le coq sans être un homme, tu t'es mis dans la merde.

Céline ? Saïd percute enfin.

– Mais j'ai jamais touché à Céline, bordel ! Jamais !

L'évidence émerge dans le cri – il dit la vérité. Même Manuel, malgré sa colère, devrait s'en rendre compte. Mais à ce moment-là, franchement, tout le monde s'en tape, de la vérité. Il est beaucoup trop tard pour se préoccuper de la vérité.

— Tu finiras bien par lâcher le morceau, je suis pas pressé.

— Sur La Mecque j'ai jamais touché Céline !

— Sur La Mecque ? Tu crois que ça va te sauver ?

Saïd renifle piteusement, il marmonne des mots rien que pour lui. Les mecs ont beau tendre l'oreille, ils comprennent pas. Manuel a le visage fermé, blafard. Il saisit la bouteille et s'enfile une longue gorgée. Il tend la bouteille à Patrick, mais celui-ci décline d'un geste. En reposant la bouteille, Manuel ferme les yeux, serre les poings. Le môme psalmodie toujours en chuchotis.

— Plus fort, on n'entend rien.

Manuel a du sang dans les yeux, il est là pour faire justice, vengeance, table rase. Il tient une revanche, ne va pas la lâcher.

— J'ai rien à vous dire, fils de putes.

Le pied du maçon lui éclate le tibia — Saïd hurle. Manuel, debout, transpire en respirant fort. Le tic sur sa joue ne le lâche plus. Il croise les bras.

— Tu sais, on a la nuit devant nous.

*

Des pompes. Des pompes et des fringues. Une pièce entière. Une pièce de la taille d'une chambre. Jo se hisse sur la pointe de ses pieds nus, en maillot, enroulée dans une serviette qu'elle a piquée dans la salle de bains. Il y a un voilier dessus, bleu marine sur fond blanc. D'ici, elle entend la musique, du trip-hop, Morcheeba peut-être, elle n'est pas sûre. Un vieux truc en tout cas, elle aime bien. De sa main libre – celle qui ne tient pas la serviette bien serrée au-dessus de ses seins – elle caresse les fringues comme si c'était des bras.

– Qu'est-ce que tu fais ?

Jo sursaute, prise en faute. Se retourne vers Garance, les mains crispées sur la serviette de bain.

– Rien, je regardais.

– Tu peux. S'il y a un truc qui te plaît, je te le prête.

– Non, ça va.

Jo la bouscule presque pour sortir du dressing.

– T'as vu ma sœur ?

– Elle est avec Côme. D'ailleurs il... elle... enfin, tu devrais peut-être les rejoindre. Il est un peu lourd, Côme, des fois.

– Lourd comment ?

Garance hausse les épaules d'un air gêné mais Jo ne s'inquiète pas trop : côté gros lourds, avant d'arriver à la cheville de Lucas ou Enzo, y a de la marge.

– J'ai emprunté la serviette...

– T'as bien fait. On descend ?

Jo devance Garance dans les escaliers. Elle longe la rampe du plat de la main, une sorte de muret blanc et arrondi comme dans les maisons grecques. Sous ses pieds nus, les carreaux de ciment aux dessins ocre, secs

et frais, comme en pose parfois son père dans d'autres
maisons que la sienne. Elle a envie de toucher à tout, ici.
Des murs aux bibliothèques, jusqu'au corps laqué de la
contrebasse qu'elle retrouve en arrivant au salon.

– C'est toi qui en joues ?

– Non, c'est ma sœur. Moi je fais du piano, il est de
l'autre côté.

Un geste flou vers une autre partie de la maison, et
Garance entraîne Jo vers le jardin et les cris.

Le bassin l'attend, l'attire, et elle lâche sa serviette
sur un transat, concentrée sur le bleu. Personne ne fait
attention à elle, pas même les baigneurs qui chahutent.
La piscine est suffisamment grande pour qu'elle s'y
glisse et nage sans heurter qui que ce soit. Jo se laisse
couler, s'isolant des sons. Les basses résonnent encore
sous l'eau comme un grand cœur, mais elle ne discerne
plus les détails.

C'est seulement après plusieurs minutes dans l'eau
qu'elle s'inquiète enfin pour sa sœur.

*

Lorsqu'ils avaient quinze ans, Manuel se souvient
qu'ils aimaient rouler en scooter et écraser les rainettes,
les jours de pluie. Elles affluaient sur les petites routes,
nombreuses et suicidaires, et éclataient joyeusement
sous les roues du scooter. Ce soir, il ne pleut pas. La
chaleur le plombe mais Manuel, lui, ne sent plus rien.

Ses poings s'écrasent sur le visage de Saïd, qui ne ressemble plus vraiment à un visage. Il fixe les deux fentes sanguinolentes qui s'entrouvrent pour lui rendre son regard. C'est à elles qu'il s'adresse.

– T'as toujours rien à dire ?

Il n'attend plus de réponse. Seule compte la tension dans ses doigts, dans son ventre, qu'il pense apaiser à chaque nouveau coup. Oui, ça lui fait du bien. Au fond, ça n'a plus vraiment d'importance, de savoir qui a mis sa fille enceinte. C'est trop tard. Il a eu sa chance, peut-être ou peut-être pas, mais ce qui est sûr, c'est qu'il a foiré. Il en est certain, convaincu. Y a qu'à repenser au regard de la proprio, à celui de son beau-père, de sa femme. À l'absence du regard de son père. Alors ce petit merdeux d'Arabe qui se croit supérieur avec sa bagnole et ses petits trafics, il lui fera baisser les yeux. C'est tout ce qui lui reste.

Patrick écluse la fin du scotch ; il se sent affreusement mal, au bord du vomissement. Impuissant à stopper les événements, à faire machine arrière. Ses mains tremblent sur la bouteille vide.

– Arrête maintenant, tu vas le tuer.

*

Céline rit encore. Même et surtout lorsque Côme glisse ses mains le long de son dos. Les copains le regardent par en dessous, genre *non t'oseras pas, elle est enceinte quand même, et puis elle a seize ans.* Mais l'admiration dans leurs yeux, le défi et tout, *Côme il fait des trucs dingues que personne oserait faire.* Il y a même deux filles qui assistent, passives, un peu distantes.

Céline rit, mais elle esquisse un geste de refus lorsque le jeune homme lui tend encore un verre – de la vodka cette fois, il a laissé tomber la bière, l'ivresse vient trop lentement et puis elle est obligée d'aller pisser tous les quarts d'heure, c'est chiant. Il insiste, et comme elle ne veut pas perdre ce sourire-là, cette attention qui la rend belle, elle prend le verre glacé.

– Tu vas voir, elle sort du congélo, ça fait du bien.

Le petit groupe autour la regarde boire avec gour-mandise, un mec s'apprête à la resservir malgré sa tête qui dit non, sa bouche qui grimace.

– Arrête, lâche Côme, tu vois bien qu'elle en veut plus.

Céline est reconnaissante du coup, pas rancunière pour le verre d'avant – déjà oublié. Elle lui sourit. Il est fortiche, ce con. Si elle bouge trop, elle titube, alors elle cherche des yeux un endroit pour s'asseoir. Il la devance, l'attrape par la taille.

– Holà, par ici, ma belle, va pas nous faire un malaise.

Il l'entraîne vers la maison, sous le regard des autres, leurs rires admiratifs et vaguement coupables. La petite meute hésite, attend un geste de la part de Côme, une sortie, une complaisance. Alors il ne se prive pas : de sa main libre, il dégaine son iPhone en mode caméra et le secoue comme une sucrerie au-dessus de la gueule d'un chien. Pas un mot, juste un sourire gourmand offert à la galerie, une promesse – sans que Céline ne réagisse, trop occupée à marcher droit et à savourer la douceur de ce bras qui l'enlace, la sécurise.

Johanna suit sa sœur des yeux. Elle n'a pas assisté à la scène, mais elle voit bien que Céline est bourrée et que Côme est un connard. Pas lourd comme les copains du lycée technique, non. Mais un connard quand même, d'un autre genre.

Le temps de se hisser hors de l'eau et de récupérer sa serviette, elle ne les retrouve plus. Die Antwoord entame *Enter the Ninja* et toutes les filles singent la chanteuse diaphane en braillant «*I am your butterfly, I need your protection, be my samouraï*»; elles bondissent, survoltées et à moitié à poil. Quelqu'un monte le son et l'ambiance chauffe d'un coup, ça pulse dans les ventres, les corps se désarticulent en chorégraphies sauvages, les corps mouillés, plantes des pieds frappant le sol, hanches étroites en mouvements arrondis et suggestifs – pas de moches complexés, c'est fou comme ils sont bien nourris ces gosses, comme le monde leur appartient.

Jo fouille des yeux, zigzague entre les danseurs, tentée malgré elle de se tortiller sur *Banana Brain* qui démarre à présent, encore plus saccadé, plus fou. La chaleur est partout, celle de la nuit épaisse, celle qui monte le long des corps. Son cœur accélère, elle ne sait pas si c'est à cause de l'ambiance, de la musique, ou de l'inquiétude pour Céline. Quelque chose va se passer, Jo l'éprouve comme les animaux sentent les catastrophes quelques minutes avant qu'elles n'adviennent. Pas forcément une chose grave, mais quelque chose de désagréable, quelque chose qu'elle voudrait éviter. Elle repasse par le salon, touche d'un doigt superstitieux le bois de la contrebasse mais à peine, conjure le mauvais sort en prenant des forces là où elle les trouve, même dans les endroits les plus énigmatiques.

Ignorant l'étage, elle cherche d'instinct les nouvelles pièces, se souvient du geste évasif de Garance, quand elle a parlé d'un piano. Oui, le couloir du fond débouche sur une autre pièce, dont les baies vitrées offrent une vue d'enfer sur le Luberon mais il fait trop nuit pour qu'elle s'en rende compte, et puis elle a autre chose à foutre. Derrière le piano, un demi-queue noir comme dans les films, elle devine le couple, dans un canapé crème. Côme a allumé une petite lampe, pour ne pas en perdre une miette. Céline glousse, ivre, le tee-shirt remonté sous les bras. Côme lui a retiré son soutien-gorge et ses seins éclatent de lourdeur dans la lumière basse, au-dessus de son ventre. Jo se fige, surprise par la beauté de la scène. Si l'autre bâtard était pas en train de filmer, elle aurait envie de figer l'instant. C'est ce qu'il fait, mais pour d'autres raisons. Même la main blonde de Côme qui caresse, pince, palpe, a quelque chose de saisissant. Jo s'approche et lui arrache l'iPhone, sans cesser de regarder sa sœur.

– Rhabille-toi, on se casse.

Côme fait volte-face, son visage passe de l'illumination à la peur, puis très vite à la colère.

– Rends-moi ça, putain !

Du pouce, elle fait défiler la galerie photos et films, efface le plus vite possible. Le temps qu'il se relève et lui chope le poignet, elle a fait disparaître la vidéo et les trois photos de sa sœur qu'il a prises juste avant. Sciemment, Jo lâche le téléphone qui rebondit mollement sur le tapis. Tant pis, elle aurait bien aimé qu'il se brise, se fende comme une arcade sourcilière sous un poing.

Côme ramasse son bien, se tourne vers Céline qui a descendu son tee-shirt, un peu hagarde.

– On faisait rien de mal, Jo.

– Toi non.

Rôles inversés, comme si souvent. C'est quand, le jour où quelqu'un la protégera, elle ? Se préoccupera de lui éviter les ennuis, remontera un drap sur ses épaules, lui tiendra le front pendant qu'elle gerbe ? Est-ce que ça viendra un jour ? Est-ce qu'elle se laissera faire ? Saïd, peut-être, mais elle ne lui laisse pas beaucoup de place non plus, faut dire.

– Viens avec moi.

– Où ?

– On monte chercher mes fringues et on se casse d'ici.

Céline baisse le regard, ramasse son soutif entre les coussins du canapé. Elle se mordille les lèvres, n'ose plus regarder Côme. Lui serre les dents, fixe le mur en secouant la tête. Il s'approche de Jo et lui bloque le passage, sans animosité. Sa main balaye sa mèche blonde, s'attarde sur sa nuque. Il a les yeux presque liquides quand il chuchote à Jo :

– Je l'aurais pas montré aux autres, tu sais.

– Mon cul.

– Je te jure. C'est ce que j'avais prévu de faire mais...

– Mais quoi ? T'aurais eu des remords, connard ?

Il a l'air perdu, c'est pas dans ses habitudes. L'air d'un enfant, soudain, ou d'un homme beaucoup plus vieux.

– Je sais pas.

– Moi je sais.

– Non, tu te trompes. Je crois... que je l'aurais gardé pour moi.

– Espèce de taré, siffle Jo, et elle entraîne Céline avec elle à l'étage.

Les escaliers, le dressing, les chambres, la salle de bains, elle refait le chemin qu'elle connaît maintenant. Elle enfile ses fringues, roule son maillot de bain dans un sac plastique. Une rage sourde lui crispe la mâchoire, l'empêche de pleurer. Elle s'engouffre dans le dressing, attrape un grand sac de voyage en cuir patiné, d'une élégance qui lui est étrangère. Sous l'œil un peu hébété

194

de Céline, Jo arrache mécaniquement les fringues les plus douces qui lui tombent sous la main et les balance au fond du sac.

– T'es folle, ose Céline, qui retrouve son sourire niaiseux d'alcool, et une petite étincelle de convoitise s'allume dans ses yeux.

Elle se penche pour prendre une paire de chaussures et l'ajouter au butin. Puis une deuxième, et une veste, tiens, puisqu'on y est.

Sac blindé, elles dégringolent les marches. En bas des escaliers, Jo stoppe sa sœur, lui colle le sac dans les bras.

– Attends-moi là.

Elle slalome au milieu des autres qui ont investi le couloir, se trace un chemin entre les cris, les rires, jusqu'à la cuisine, et attrape simultanément une bouteille de champagne et un carton de pizza. Revenue vers Céline, elle l'embarque d'un signe de tête vers la sortie. Une reprise électro d'Aretha Franklin accompagne leur fuite.

Think, think, think, let your mind go, let yourself be free.

Elles ne croisent ni Garance ni Côme. Elles ne regardent personne.

Et personne ne les regarde.

*

195

Manuel a cessé de cogner. Ses poings sont rouges, sa tête baignée de sueur. On dirait qu'il tente de reprendre ses esprits, mais c'est long. Il se sent vide à l'intérieur, il y a comme un grand blanc qui l'a bouffé du dedans, et même sa respiration il ne la sent plus, alors qu'il l'entend, sonore et râpeuse, haletante de terreur. Il lui semble qu'elle emplit tout l'espace du garage. Le temps s'égrène dans sa respiration de gorge, l'arythmie de son cœur.

– Putain, Manuel...

C'est tout ce que Patrick parvient à dire, et Manuel ne répond pas. Même pas sûr qu'il l'entende. Alors il le répète.

– Putain, Manuel. Merde. Merde. Il est...? Putain. Oh putain.

Il doute encore, Patrick. Il se dit que peut-être ça va aller.

– Ça va aller.

Tout bas d'abord, juste pour lui, puis à son ami immobile.

– Ça va aller. Putain, putain, putain. Ça va aller.

Sa propre voix le rassure, même si c'est pour dire n'importe quoi. Sa voix rauque, dans ce garage lustré de chaleur humide, a le timbre charnu des grandes tragédies, des promesses vaines.

– Ça va aller.

Vérifier, d'abord. Oui mais ce sang – il ne veut pas se poisser les mains, il pense déjà flics-balistique-meurtre-prison. Il faut qu'il pense pour deux. Il lui doit bien ça, au grand type hagard qui s'essouffle encore d'avoir frappé si fort et si longtemps. En prenant sur lui, Patrick glisse ses doigts contre le cou de Saïd, malgré le sang. Le poids de la mâchoire brisée, sur sa main, lui donne un peu envie de vomir. Le silence, sous la peau, lui confirme ce qu'il sait déjà ; on ne survit pas à de tels coups.

– Bouge pas. On va prendre une bâche.

Patrick se démène, trouve une de ces bâches transparentes qui isolent les parquets lorsqu'ils refont des peintures murales. Il pense technique, efficacité. Déroule une bonne longueur sur le ciment du garage. Avec son Leatherman, il entame le chatterton, au niveau des poignets, en faisant bien attention de ne pas abîmer le fauteuil Voltaire, mais il pense déjà au meilleur moyen de s'en débarrasser.

Figé, Manuel n'a toujours pas bougé, n'esquisse même pas un geste pour essuyer la sueur qui coule dans son cou, inonde sa nuque.

– Maintenant, faut que tu m'aides.

Patrick a saisi Saïd à bras-le-corps, tant pis pour le sang, et tente de le faire basculer sur la bâche. Il peine.

– Manuel, putain ! Aide-moi...

Alors Manuel tourne enfin le regard vers son ami et déclenche, comme un grand pantin obéissant. À deux, ils allongent le corps mou sur la bâche. Patrick retient la tête pour qu'elle ne frappe pas sur le sol, la pose doucement, laissant ses doigts glisser derrière la nuque frisée – une délicatesse de vivant, une excuse. C'est lui qui replie la bâche sur le visage en bouillie, les boursouflures rouges, le corps tordu. Il hésite à lui vider les poches, vérifier... mais vérifier quoi ?

– Le chatterton, Manuel, à côté de toi.

L'homme obéit, déroule la bande collante et s'accroupit à son tour pour coller la bâche autour du corps.

– Attends.

Manuel se redresse, il semble se remettre à penser et allume une clope. Entre eux, le corps de Saïd gît sous l'épaisseur de plastique, et des traces de sang collent au gris opaque. Manuel pense aux séries qu'il regarde parfois le soir avec Séverine, les séries dans lesquelles les flics trouvent toujours le coupable. Ce n'est plus un tic qui lui agite le visage mais un grand tremblement qui lui attrape le corps. Il secoue la tête comme une bête rétive.

– On fait quoi, là ?

Patrick fait semblant de ne pas comprendre, écarte les bras en haussant les épaules, genre *T'as une autre idée ?*

Manuel traverse le garage, tournant le dos à la scène, revient. Il renifle, essuie enfin les coulées de sueur avec son tee-shirt. En écrasant sa clope dans un bocal de térébenthine, il se convainc qu'il n'a pas le choix. Il prend une grande inspiration.

– Le bassin d'agrément.

Les deux hommes ne se regardent plus. Ils ne parleront pas. Pour l'instant il faut agir vite, et bien. Ça carbure dans leurs têtes ; ils se mettent au boulot.

*

Des nuits d'été, elles en ont connu. Lumineuses et chaudes, rarement noires – il y a beaucoup d'étoiles les veilles de grand beau. Celle-ci est très claire, une lune aux trois quarts, une quiétude troublée uniquement par le crissement des cigales, plus loin. Et un cri de grand duc, à intervalles réguliers. Jo compte entre chaque cri, comme entre un éclair et son bruit. Elles avancent sur le bord de la route, se rangent dans le fossé quand une bagnole passe.

– On est connes de se planquer. On ferait mieux de faire du stop.

– Pas tout de suite.

– T'as vu comme on est loin ? Je rentre pas à pied jusqu'à la maison, je te préviens.

– T'inquiète. Suis-moi d'abord.

Johanna tient toujours le carton de pizza et la bouteille ; elle s'engage sur un petit chemin qui grimpe, sa sœur la suit. Elles marchent quelques minutes mais Céline s'essouffle, alors Jo lui refile la pizza et attrape le sac, bien plus lourd.

– Tu reconnais ?

– C'est pas de là qu'Anthony jetait des caillasses sur les bagnoles ?

– Ouais, et pas que lui.

– Oh, ça va, je l'ai fait une fois…

– Pourquoi chaque fois qu'un mec fait un truc débile, tu le fais avec lui ?

Céline glousse, Jo suit.

– C'était après la kermesse, celle où on avait été obligées de se déguiser en Provençales.

– Me rappelle pas ça !

– L'angoisse…

Elles se calent au milieu d'un immense rocher plat – ici, on l'appelle le rocher du Beurre, mais personne ne sait pourquoi. Il surplombe la vallée, et la route passe juste en dessous. Jo fait sauter le bouchon de champagne. Ça résonne en écho autour d'elle.

– Finalement c'était plutôt pas mal que les vieux viennent pas nous voir. Pas de photos…

– Bah t'étais mignonne avec ton petit bonnet en dentelle.

– Ta gueule. T'étais pas mieux.

Les deux se marrent. Du champagne a coulé sur les jambes de Jo. Elle boit et grimace.

– C'est même pas bon. J'aurais dû prendre une bière à la place.

Céline ouvre le carton de pizza et cette fois-ci elle a tellement faim qu'elle dévore. Elle a passé le cinquième mois, elle n'a plus de nausées. Un peu trop saoule ce soir sans aucun doute, mais la pizza colmate et ça a l'air de tenir. La chose bouge un peu, ça fait quelques jours qu'elle la sent. Pour l'instant, elle fait encore un peu semblant de l'ignorer. Elle se penche vers Jo, frotte sa tête contre sa sœur à la façon d'un chat.

– Merci.

Et comme Jo fronce un sourcil, perplexe, elle ajoute :

– Pour tout à l'heure.

Elles n'en reparleront pas, c'est presque déjà trop. Le sac gît aux pieds de Johanna, le champagne se laisse boire. Elles entrent dans le silence comme elles entrent dans l'eau d'une piscine : de façon soudaine, simultanée et délectable. L'une près de l'autre, seules à deux. Ça peut durer longtemps et c'est précieux, même si elles ne le savent pas. Elles rentreront tout à l'heure, il y a toujours des bagnoles qui passent un samedi soir, même ici, dans le trou du cul du monde, dans ce bled à touristes riches qu'elles connaissent trop bien.

Céline fait bouger ses orteils peints dans ses sandales à talons, puis fait glisser les lanières, pose la plante sur la pierre. Ce n'est pas si froid qu'elle aurait cru. Elle est saoule mais bien.

Alors dans le silence, les yeux rivés sur ses doigts de pieds, Céline s'autorise à penser à *lui*.

Ça avait commencé l'été dernier. Ou peut-être avant. Peut-être qu'elle avait toujours entretenu cet espoir d'enfant qu'il la prenne pour une femme. Peut-être même que c'était pour lui qu'elle s'était rendue plus riante, qu'elle avait exercé sans relâche son pouvoir d'attraction. Les Lucas et autres n'étaient que des brouillons, des cobayes pour être prête, pour un homme, un vrai. Un qui saurait, là où elle pensait ne rien savoir.

Les garçons, Céline les rendait chèvres, mais à l'intérieur, elle continuait de rêver à des scènes d'un romantisme suranné, des couchers de soleil sur la plage comme ceux qui ornaient les murs de sa chambre. Ils se vantaient entre eux, racontaient aux copains. Elle faisait des choses, c'est vrai, pas mal de trucs en fait ; un tas de trucs que les autres filles avaient du mal à faire, même les plus âgées, qui n'étaient plus vierges. C'est pour ça qu'elle traînait derrière elle une réputation que seuls les villages savent vous tailler.

Patrick, il l'effleurait depuis toujours, pour la faire rire, pour le jeu. Elle était comme une nièce, une enfant qu'il n'avait pas eue. À quel moment ça avait changé ? À quel moment c'était devenu une obsession, un problème ou une solution ? Pour Céline, le trouble était là depuis si longtemps qu'elle n'aurait pas su trancher clairement. Elle n'aimait pas penser à ces heures de fin d'enfance où elle regardait pousser ses seins dans la glace de la salle de bains. Elle préférait songer aux mains de Patrick les caressant comme s'ils étaient à la taille parfaite.

Mais il y avait un souvenir, plus vif que les autres, qu'elle associait au début de toute cette histoire, auquel elle repensait quelquefois avec une sorte de ferveur gênée, de ces gênes qui accentuent le désir.

Ils étaient tous partis aux Salins-de-Giraud, le pique-nique dans la benne du pick-up. Patrick et Valérie avaient pris les filles avec eux, à l'arrière de la 205. Le pick-up suivait, Manuel et Séverine dans la cabine. Une fois sortis des grands axes, ils s'étaient garés sur le bas-côté ; Patrick, Céline et Jo étaient montés à l'arrière de la camionnette, tandis que Séverine rejoignait Valérie dans la petite cylindrée. La route, Céline s'en souvient comme d'un grand cri, une tempête de vent dans leurs figures, hurlements de rire, rires de bêtes. Debout, accrochés à la barre transversale au-dessus de la cabine, ils affrontaient la route de face, Manuel s'amusant à dévier soudainement pour les déséquilibrer. C'était un peu con et dangereux, mais c'était drôle. Patrick s'était collé à Céline, son ventre à ses fesses, un bras autour de sa taille, la protégeant d'une chute. Dans la mémoire de Céline, il y avait les troupeaux de taureaux sombres le long de la route, et les premiers flamants roses leur avaient arraché des gloussements surexcités. C'était si rare, les sorties en famille, ou avec des copains des parents. Le week-end, les hommes faisaient des gâches, les femmes les courses. Les filles entretenaient un état végétatif devant la télé ou allaient fumer dans les champs avec les copains du village. Les week-ends s'étiraient à ne rien faire, toujours trop courts malgré leurs plaintes d'ennui sidéral. Elle ne se souvient pas qu'ils soient allés plus loin que les Salins-de-Giraud, un jour ou un autre. Elle n'a même jamais pris le train, sauf une fois, pour aller à Avignon, avec sa classe de quatrième du collège ; une visite du palais des papes et du petit palais, elle s'était ennuyée à mourir au milieu des toiles religieuses et mal proportionnées.

La tôle vibrait sous ses pieds, et un vent tiède accompagnait ce samedi exceptionnel, lumineux. L'érection de Patrick, contre ses fesses, l'avait tout à la fois choquée et soulagée – une confirmation. Jo n'avait rien vu, trop émerveillée par le vol des flamants, la beauté lourde des taureaux, les sens bouleversés par les premières odeurs d'iode, à l'approche des salins. Ils avaient continué de rire, complices de l'interdit, porteurs d'un secret énorme et silencieux. Ils savaient. Ce n'était plus qu'une question de temps, d'occasion. Si la différence d'âge posait problème à Patrick, comme le fait qu'elle soit la fille de son meilleur ami et qu'elle n'ait que quinze ans, Céline n'en avait rien à faire. Avec le temps, elle saurait même reconnaître que cet aspect-là avait ajouté de l'intérêt à la chose. Un émoi des plus classiques, comme si être désirée par un homme pouvait rendre femmes les toutes jeunes filles. Compenser leur naïveté, leurs rêves de petites cruches. Elle s'était cambrée légèrement. L'excitation qui l'avait envahie à cet instant-là, elle ne pouvait la comparer à rien. Un mélange de terreur et de joie absolue. C'était nouveau, c'était un monde.

À la plage, Patrick avait eu la même attitude que d'habitude, rivalisant de vannes viriles avec son pote Manuel, enlaçant Valérie, courant après Jo ou Céline pour les arroser, comme un oncle jouant au monstre imaginaire. Céline avait même fini par douter.

Au retour, il avait pris le volant de la 205. Valérie grattait le sable à ses chevilles, essayait de faire parler Jo et Céline, mutiques et avachies sur la banquette arrière.

Malgré ses efforts, elle n'avait jamais réussi à nouer un lien très chaleureux avec elles, même quand elles étaient gosses.

À un moment, Patrick avait roulé sur un ragondin, tuant net l'animal, maculant la route de sang. Les filles avaient poussé des cris écœurés, puis s'étaient endormies, l'une contre l'autre.

– À quoi tu penses ?
– À rien.
– C'est ça, ouais, mon cul...
– Ton cul, tu ferais bien de t'en servir un peu plus.

Jo sourit dans la nuit, pense au torse nu de Saïd, à la chaleur des salles de bains, à l'odeur écœurante de l'éther.

Son sourire s'élargit, elle passe la bouteille à sa sœur – au point où elles en sont.

– Ça va venir, t'inquiète.

Bassin d'agrément

Les gars sifflent d'admiration. Même le Gitan a du respect dans l'attitude, depuis qu'il a vu l'avancée des travaux.

– Vous avez fait ça tous les deux ?

– Ouais, on est restés hier soir pour prendre de l'avance, explique Patrick. On a fait le coffrage, posé le treillis soudé.

– Et le béton ?

– On l'a coulé ce matin, en arrivant tôt.

Les mecs sont bluffés, presque merdeux d'avoir cherché l'embrouille hier. Un chef d'équipe qui bosse plus qu'un ouvrier, ça se respecte. Ils regardent Manuel par en dessous en hochant la tête.

– Elle pourra mettre en eau pour le mariage de sa fifille, se marre un des gars.

– Faudra quand même qu'elle attende une semaine pour que ce soit complètement sec, précise Patrick, mais ça devrait être bon. Elle va pas nous emmerder.

L'équipe se ressoude face à l'ennemi.

Manuel ne dit rien. En haut de son grand corps de gladiateur, sa tête dodeline de fatigue et son tic n'a pas cessé, c'est même pire : sa joue bouge toute seule sous ses lunettes de soleil. Ses mains bousillées sont planquées au fond des poches de son blouson, alors qu'il fait déjà beaucoup trop chaud pour en porter un. Il frotte ses doigts l'un contre l'autre, les petits bouts de béton sec s'effritent contre le tissu. Ses phalanges douloureuses, irritées jusqu'au sang, lui rappellent qu'il est vivant.

En boucle, il se repasse des bouts de nuit. La première partie, il l'occulte : trop sombre, trop alcoolisée, et puis elle remontera bien assez tôt. Pour l'instant il repense aux étapes scrupuleuses des finitions sur le bassin d'agrément. Le lit de graviers d'abord, le corps couché au fond, en arc de cercle, et la ferraille par-dessus, qu'ils ont portée à deux. Et puis les quarante centimètres de béton coulés par-dessus, cinquante pour faire bonne mesure, être sûrs, prudents. Ils ont fait vite, chaque mouvement calculé, efficace. Ce n'était pas seulement une histoire de mecs traqués, ils étaient loin – pensaient-ils – des films du genre. Précisément, préparer la gâchée au milieu de la nuit et s'agiter sur la bétonnière leur offrait un sursis. Ne pas penser, juste faire et faire bouger les corps dans des mouvements familiers. Ils ne se regardaient pas.

Quand le jour s'est levé sur leurs corps rompus et sales, leurs yeux vides, ils avaient terminé. Le petit fauteuil Voltaire s'est vu scier les pieds, briser le dos ; il gît, en morceaux, sous une vieille parka de chasse et des ceps noueux, calé dans la benne du pick-up. Il attendra un peu : les feux de feuilles s'organisent à la fin de l'automne, jusqu'en hiver parfois.

Le béton a suffisamment pris à présent pour qu'ils respirent. Et que l'enfer commence.

Offrant son dos à l'équipe, Manuel sort une clope qu'il allume entre ses mains en coupe comme si le mistral balayait tout. Mais il n'y a pas un souffle d'air sur la colline – rien que la lumière, la chaleur endémique et le bleu.

Chez nous aussi

Si Jo s'étonne de ne pas voir Saïd dans les jours qui suivent la soirée chez Garance, elle ne s'en inquiète pas vraiment. Il y a l'été, ce sac de fringues qui pèse lourd au bout de son lit, Garance qui tente de l'appeler et à qui elle ne répond pas. La rentrée au lycée en ligne de mire, la langueur d'un mois d'août qui s'étire, gluant. C'est seulement lorsque les gendarmes débarquent dans le lotissement que les choses bougent, les questions surgissent.

Au début, on ne peut pas dire qu'ils s'affolent. La mère de Saïd a déclaré sa disparition, et vu qu'il est majeur, c'est presque une fleur que lui font les flics en cherchant à savoir. Il y en a des tas chaque année, des gens qui disparaissent, se cassent loin, se font oublier. Mais les flics questionnent quand même. Ils ne s'interrogent pas sur son emploi du temps, le jour de sa disparition ; ce sont des questions étranges, sur l'enfance de Saïd, ses fréquentations.

Pourtant, il n'y a pas grand-chose à dire. Saïd n'a jamais fait trop de vagues. Un gamin du coin qui a fréquenté la même école que tous les gosses d'ici. Collège Paul-Gauthier à Cavaillon, lycée Dumas – le technique, pas le général. Un gosse qui a traîné aux mêmes endroits que les gosses de paysans, de maçons, de gendarmes. Il s'est tapé les kermesses pourries, les lotos d'hiver, il a grimpé jusqu'au château en ruine – au-dessus de Fontaine-de-Vaucluse – en sortie UNSS. Fumé quelques joints, traîné sur la place du village, dragué maladroitement les filles, tapé dans le même ballon que les autres, au club de foot des Taillades – meilleur que celui des Imberts, et l'entraîneur l'aimait bien. En cinquième, il est même sorti avec Carole, la fille de l'épicier de Cabrières. D'ailleurs, quand les gendarmes l'interrogent, il ne se prive pas, l'épicier, pour dire ce qu'il pense des Arabes qui tournent autour de sa fille, et de celui-là en particulier. Sûr qu'il aurait bien pu partir faire le djihad, vu comment il regardait les côtes de porc sur le barbecue. Et c'est quand même bizarre, un homme qui disparaît d'un coup, d'un seul.

Alors soudain ça s'agite un peu plus, un coup de zèle, une excitation paradoxale à l'idée que peut-être, ici aussi, on a des Arabes qui partent en Syrie. Parce que concrètement, ils l'ont déjà leur hypothèse, les gendarmes, et ils aimeraient assez qu'elle se confirme. Ça crée une sorte de joie honteuse, ça libère le verbe. La mère de Saïd sait qu'il n'aurait jamais fait ça, mais c'est ce que disent toutes les mères, n'est-ce pas ?

Alors les flics remplacent les gendarmes, interrogent

un peu plus, entrent dans les maisons qui s'ouvrent bien mieux que lorsqu'il s'agit d'un vol de tracteur, d'un braconnage ou du viol d'une gamine du coin. On offre un verre, deux parfois, on sort les pistaches.

Je me suis toujours douté que. Et l'hypothèse devient vérité. L'épicerie ne désemplit pas malgré les aubergines à quatre euros le kilo et l'incapacité du patron à rendre la monnaie correctement. On parle beaucoup entre les étals, on se souvient, et ce qu'on ne sait pas, on l'invente. Une effervescence inquiète, un plaisir d'importance à être au cœur des choses. *Mon Dieu, jusque chez nous.* Il leur semble à tous qu'ils existent enfin.

La mère de Saïd ne sort plus, ses sœurs baissent la tête quand elles vont faire les courses au village.

– C'est tellement con ! grogne Jo à longueur de journée. Ils sont débiles.

– Tu peux pas savoir, répond la mère, qui va pas mal à l'épicerie depuis quelques jours.

Le père ne dit rien. De toute façon, le père ne dit plus rien, il bosse et rentre tard. Il a commencé un nouveau chantier, à Roussillon. Quand il rentre, il boit pas mal de bières, tombe comme une masse de son côté du lit.

Céline, elle, continue de nourrir les saisonniers avec sa grand-mère, en s'asseyant plus souvent, en portant moins les bouteilles. Les gars sont gentils, ils l'aident, et ils s'interrogent eux aussi sur la disparition de Saïd.

Un soir, la mère de Saïd passe devant la maison, en larmes. Son regard accroche celui de Manuel, qui fume dans le jardin, auréolé de moustiques sous la lampe de jardin. Il pense à Saïd, le corps disloqué sous des mètres cubes de ciment. Il y pense comme si ça n'avait rien à voir avec lui, et plaint la femme échevelée qui le regarde en reniflant. Et puis une lame de honte le touche au ventre. Il tousse et fuit son regard.

Quand les flics viennent à la maison, ils s'installent dans le canapé jaune citron et n'y vont pas par quatre chemins. Est-ce que Johanna et Céline le connaissaient bien ? Est-ce que Saïd a déjà parlé de religion, prôné la pureté, fustigé la décadence de l'Occident ?

Jo a l'impression qu'ils emploient des mots qu'ils ne maîtrisent pas, comme s'ils venaient de les apprendre. Mais Jo est une teigne. Elle secoue la tête, se marre.

— La décadence de l'Occident ? Non, il boit du Coca, il aime les filles, et n'a jamais fait la moindre réflexion sur les tenues de Céline... Pourtant y a des mecs du coin qui se privent pas.

Séverine serre les lèvres. Elle est assise en face d'eux, les jambes croisées, l'air sérieux.

— On ne peut pas vraiment savoir, vous savez. Il travaillait chez mes parents, et d'un seul coup plus personne... Ça prouve qu'on ne peut pas complètement leur faire confiance, non ?

— *Leur* ? De qui tu parles exactement ? s'énerve Jo.

D'habitude, la mère est moins conne que le père, sur ces sujets-là.

– Mademoiselle, laissez votre maman dire ce qu'elle a à dire. On est là pour entendre tout le monde.

Le policier écoute les généralités de Séverine. Il la trouve jolie sans doute, et il comprend ses inquiétudes, oui, lui aussi il a une fille et il n'aimerait pas qu'elle…

– Vous avez quel type de relations avec lui ? demande soudain le deuxième flic à Jo et Céline, coupant la mère dans son babil creux mâtiné de racisme ordinaire.

– On est amis depuis l'école, répond Jo. Moi plus que Céline.

Céline acquiesce, valide l'assertion de sa sœur.

– Ouais, moi je l'aime bien mais c'est surtout qu'il est à fond sur Jo.

– T'es con.

– Ben quoi ? C'est vrai, ça fait des années qu'il est amoureux de toi, Saïd. Il ferait n'importe quoi pour toi ce mec, il se tape des kilomètres en caisse pour te rendre service, il est toujours dispo quand t'as besoin de lui, j'en connais pas beaucoup qui feraient ça.

Ah, ça, ça a l'air d'intéresser les flics, dont les visages se tendent en simultané vers la gamine.

– Il vous a fait des cadeaux, mademoiselle ?

Elle rit, gênée, à cause du *mademoiselle*.

– Pas trop, il a pas beaucoup de thunes. Mais quand on était petits, il me fabriquait des trucs. Des mangas qu'il dessinait lui-même, qu'il agrafait au milieu.

Elle fait avec ses mains ce geste d'un livre dont on tourne les pages, s'interrompt.

— Vous faites quoi avec lui ?

— Comment ça ?

Celui qui a commencé ne lâche pas Johanna du regard mais ne précise rien, l'autre a l'air gêné – c'est peut-être un air qu'il se donne, pour rassurer les parents.

— Ben on va à la rivière, on traîne. Enfin cette année on n'est pas allés à la rivière, il bossait pas mal, il faisait des trucs.

— Quels trucs ?

— J'en sais rien, il bossait, il voyait ses copains, normal quoi. Et puis j'étais souvent pas là.

— Vous étiez où ?

— À Avignon, au festival. Mais il m'amenait quand j'avais besoin, et il venait me chercher. Si je galérais avec les bus.

Elle sourit à sa sœur, c'est vrai qu'il assure, Saïd.

— Attendez, coupe Séverine, c'est quoi, ces questions ? Elles n'ont rien fait, mes filles. Vous les interrogez comme si elles avaient fait quelque chose de mal.

— Pas du tout, elles n'ont rien fait de mal. On essaie juste d'avoir une vision plus nette des choses.

Son collègue sourit à Manuel, cherche une alliance.

Manuel ne comprend pas comment les choses ont pu lui échapper à ce point. Il sent un vide en lui, douloureux comme une grosse chute. Il va chercher une bière au frigo, en propose aux flics qui refusent d'un geste. Séverine en revanche réclame une bière, elle aussi.

– Est-ce que vous êtes un peu plus que des amis…, Johanna ? insiste le premier flic.

– Qu'est-ce que ça peut faire ?

Jo se lève, tendue. Elle regrette d'avoir livré un bout de son ami, elle a l'impression que tout ce qu'elle pourrait dire va être utilisé pour salir, transformer.

– Écoute Johanna, tu n'aimerais pas être responsable de quelque chose de grave ?

Le flic a pris une voix profonde pour dire ça, il jette un œil sur le téléviseur allumé qui diffuse les infos en boucle. Rien à voir avec le propos – c'est des prochaines présidentielles que parlent les journalistes. Mais tout le monde a très bien compris où il veut en venir. La présence de ses parents rend Jo rageuse, cette séance d'aveux la déshabille, et elle déteste être tutoyée par des inconnus.

– On sort ensemble depuis janvier, mais on n'a rien fait.

Un silence, et puis le flic lui sourit, chaleureux.

– Merci Johanna, merci beaucoup.

La gratitude de ces deux-là ne la réjouit pas des masses. Dès qu'ils s'en vont, après avoir salué tout le monde, les deux adolescentes vont s'enfermer dans leur chambre. Séverine boit sa bière à petites gorgées, les jambes repliées sous elle dans le fauteuil.

Les flics ne reviendront pas ; ils ont des bribes d'infos, un squelette de personnalité, des dizaines de commérages paranoïaques, mais ni preuves ni vérité. Le dossier de Saïd en rejoindra d'autres, tandis que la région entière montera un mythe autour du jeune homme.

Manuel, lui, voudrait ne rien avoir entendu, ne rien savoir. Qu'est-ce que ça peut foutre, maintenant, de savoir ça ? Il devine les jeux d'enfants, la gentillesse maladroite, la patience – il ne voulait pas entendre ça. Le décalage est trop grand entre le gamin décrit par ses filles et l'homme fait et arrogant dont il s'est vengé. Dans une gymnastique cérébrale complètement dingue, il se dit que les flics ont raison, Saïd a bien caché son jeu, il a dû partir en Syrie ou rejoindre une cellule terroriste. Et même... s'il ne l'a pas fait, il aurait pu le faire. Ce profil-là justifierait sa haine, mais ça ne tient pas plus de dix secondes. En comprenant qu'il ne sera jamais inquiété, Manuel ressent un immense soulagement, en même temps qu'un poids terrible sur le plexus ; d'instinct, il devine qu'il va devoir vivre avec à présent. Il se dit que la vie de certains hommes ne vaut pas grand-chose. Il se compte dans le lot, même s'il n'est pas mort, lui.

Il aimerait tellement que sa mère soit encore là.

Vieilles choses

Son ancienne institutrice, Céline ne l'aime pas.
Enfant, elle ne l'aimait pas non plus. Elle avait cette
façon de parler si gentille, si douce, qui mettait Céline
au supplice. Une manière à elle de pencher la tête sur
le côté avec une moue boudeuse, ridicule dans ce
visage de femme adulte, pour signifier à un enfant rétif
qu'il la décevait beaucoup. Elle l'a subie pendant plusieurs années de primaire, l'institutrice changeant de
classe en même temps qu'elle ; une malédiction qui
revenait chaque année, jusqu'au collège. Elle n'était
pas méchante, c'était même l'inverse, mais malgré son
incapacité à comprendre exactement de quoi il retour-
nait, Céline sentait dans son regard et ses attitudes le
mépris qui affleurait derrière la fausse bienveillance.
Quand elle soupirait en secouant la tête lorsque certains enfants racontaient à d'autres les détails d'un film
vu la veille, qu'ils n'auraient visiblement pas dû voir.
Ou quand ils déballaient leurs pique-niques en sortie,
sodas et biscuits, paquet de chips familial. Parce qu'elle

n'était pas la seule, au village et à l'école, à recevoir ce mépris-là. Ils étaient nombreux, les parents du coin, à laisser pousser leurs gosses en broussaille, sans horaires et tard devant la télé. Cette conne ne pouvait pas comprendre, elle avait muté ici pour le soleil et les murs en pierres apparentes, les marchés typiques et l'accent si charmant.

Parfois, Céline imaginait des choses secrètes, qu'elle savait inavouables : l'instit fusillée contre le tableau vert comme dans ce film de guerre qu'elle avait vu avec son père justement, elle voyait même les impacts de balles dans ses gros seins, sous ses robes à motifs. Jo s'en était mieux tirée, elle ne l'avait eue qu'une seule année, celle où Céline était en sixième. Et Jo savait mettre les autres à distance, quand Céline s'engluait dans ses inimitiés.

Aujourd'hui, elle a l'air vieille. Elle est à la retraite depuis peu, et ça étonne toujours Céline de constater qu'elle est encore en vie, quand elle la croise – inévitablement, en train de faire ses courses ou au village.

Ce matin, sa mère ne lui a pas laissé le choix : corvée de courses, Céline n'a pas osé dire non – en ce moment elle cherche la bonne attitude, voudrait envoyer chier tout le monde et espère pourtant une étreinte qui l'autoriserait à redevenir enfant. Alors la mère et la fille sillonnent l'Intermarché, chacune un chariot et un morceau de liste en tête. Quand elle visualise l'instit à quelques mètres d'elle, chariot plein, son corps maigre et sa grosse poitrine appuyée sur le Caddie, ses yeux de myope plongés dans le rayon des biscuits diététiques, Céline accélère pour retrouver sa mère, comme si celle-ci pouvait la protéger de la vieille folle. Comme si sa mère l'avait déjà protégée de quoi que ce soit. Elle prend la tangente en espérant que la vieille ne l'a pas vue, mais l'autre lui fait déjà signe, l'envahit de sa présence molle et condescendante.

– Céline !

La jeune fille se retourne malgré elle.

Écrasant sa poitrine contre le chariot pour avancer, la vieille roule suffisamment pour être à la même hauteur que Céline qui ne fait aucun geste, refuse un serrage de main ou une grosse bise malvenue.

– Alors ma belle ? Comment tu vas ? On m'a dit pour...

Son sourire est avide de nouvelles informations, ses yeux plantés sur le ventre de la jeune fille. Céline se demande comment cette vieille salope a appris. Elle maudit l'indiscrétion et la vitesse de frappe des bavardages importuns, se promet de ne rien laisser paraître, ne rien laisser filtrer de ce qu'elle ressent. Elle y arrive pas trop mal au début, sa moue insolente de toujours rivée au sourire, le mascara glorieux et les paupières sombres.

L'institutrice en retraite observe son ancienne élève devenue grande, devenue femme, *mais toujours aussi mauvais genre*, pense-t-elle.

– Tu es contente ?

Céline ne peut s'empêcher de froncer légèrement les sourcils en un dessin d'incompréhension, alors l'instit lâche une sorte de petit rire gêné, consciente soudain de l'inanité de sa question.

– Je veux dire : ça se passe bien ?

Céline hausse les épaules. Elle hésite un instant, regarde intensément la vieille et repense à l'enfance, toute proche. Elle ne répond pas.

Malgré le silence de la jeune fille, le regard de la femme glisse dans son chariot, étudiant avec curiosité les denrées choisies, et revient sur son ventre. Céline pense à la petite chose, en elle.

– Tu vas faire quoi, après ?

Dans la bouche de l'instit, ça sonne pas comme dans celle de Jo. Céline hausse les épaules, ne dit toujours rien.

– Et le père ?

Le regard de la vieille se fait plus insistant, il perd en bienveillance. Son sourire reste accroché comme celle des poupées de films d'horreur, c'est à ça que pense Céline. Elle regarde autour d'elle, les autres clients ne font pas attention à elles. Céline sent que le monde a pris des dimensions menaçantes ; il pourrait l'avaler tout rond, et elle n'a jamais ressenti ça avant. Elle pose une main sur son ventre. De la pitié soudain sur le visage de l'autre, une pitié dégueulasse, qui s'étend à l'enfant – l'adolescente voudrait lui crever les yeux. Et pour la première fois depuis qu'elle sait qu'elle est enceinte, Céline voudrait protéger le bébé qui grandit en elle. Elle ne sait pas mettre en mots, ça la déborde, et elle veut retrouver sa mère.

– Ma mère m'attend.

Céline se secoue, ordonne à ses jambes de reprendre leur course, de se désengluer du face-à-face.

– Attends ! Si tu as besoin de quoi que ce soit…

– J'ai besoin de rien. Ni de personne. Et je t'emmerde !

L'instit reste toute droite dans sa stupeur, offensée et balbutiante.

Céline pousse devant elle son chariot comme un bouclier, ou un bélier qui défoncerait des portes ennemies. Elle finit ses courses au pas de charge, jetant les articles au fond du Caddie avec une rage méthodique. C'est essoufflée qu'elle arrive aux caisses, tendue comme un animal traqué, le dos secoué de petits frissons de hâte. Sa mère fait déjà la queue et la détaille d'un air absent, mais Céline lui sourit.

Un jour, sur la Rambla

– Tu iras en Espagne pour moi ?

– Oui pépé.

– Tu iras sur la Rambla, Jojo, tu verras comme c'est beau. Il y a tout le temps des gens qui dansent. Et tout au bout, presque au port, il y a les lions en pierre.Tu iras les voir ?

– Oui pépé.

– Tu les salueras pour moi.

– Oui.

– Mon père il était fier, Jojo. Tu lui ressembles, tu sais. Il avait cet air-là, comme toi, toujours un peu en colère, sur le qui-vive, comme si on allait lui prendre quelque chose auquel il tenait. Je me souviens, il me racontait quand il est arrivé au camp d'Argelès, l'eau croupie, et sa sœur qui est tombée malade. Elle est morte là-bas, tu sais, ma tante. Je l'ai jamais connue… Pepita elle s'appelait, elle avait survécu à la guerre pour mourir en France, à cause de l'eau sale, tu imagines ?

Jo sourit à son grand-père, elle connaît l'histoire mais

elle veut bien l'entendre à nouveau. C'est mieux que le silence. C'est mieux que cette mastication mouillée qu'il émet quand il a du mal à respirer, et les vibrations nasales, les hoquets – son corps entier qui se déglingue.

– Va boire un verre sur la plaza d'España. Et dans la carrer de Tarragona, je me souviens qu'il y a un petit bistrot où mon père m'a amené la première fois qu'il est retourné là-bas, après la mort de Franco. Et le jardin d'Horta...

Les yeux hagards du vieil homme fixent le mur, il se perd dans le labyrinthe végétal du jardin d'Horta, retrouve le visage de son père au même âge que lui, juste avant sa mort, et celui de Franco mangé par les lions de pierre.

– Oui pépé.

– Attends, j'ai oublié le nom. Je vais me souvenir du bistrot. Ils font des tapas incroyables.

Jo est fatiguée. Elle ne comprend pas pourquoi Saïd ne lui a pas fait signe. Qu'il soit parti, d'accord, mais pourquoi il ne lui a rien dit ? Elle est pleine de questions qui ne la mènent à rien.

– Tu veux qu'on se promène ailleurs ? Je peux pousser ton fauteuil dans les couloirs. Ou descendre.

S'ils ne sont pas bien grands, les jardins de l'hôpital ont tout de même deux trois haies feuillues et un peu de verdure pour faire croire à la renaissance, au printemps, ce genre de conneries. Et puis il y a quelques oiseaux. Elle préfère encore ça plutôt que cette chambre dont

223

elle connaît tous les contours, les couloirs au lino beige, les plantes en plastique – des vraies, quelquefois, offertes par une famille, après la mort d'un patient.

– Non, je suis fatigué, et puis c'est bientôt l'heure du goûter.

Jo déglutit, ça passe mal. Son grand-père dégage une odeur fade et rance, une odeur de vieux frigo et d'eau de Cologne tournée. Elle essaie d'imaginer, s'il ne lui restait que quelques mois à vivre, ce qu'elle aurait en tête – elle ne trouve que la peur, des supplications candides et désespérées.

Johanna n'est jamais partie nulle part. Pas même en voyage scolaire parce que les vieux ne voulaient pas payer. Elle pense à l'Espagne, aux couples qui dansent le tango argentin sur la Rambla, soudés par le rythme. Son grand-père lui offre là une évidence, un nom de gare, une destination à une possible fuite, un jour, plus tard – un inestimable cadeau. Le vieux ne le sait pas. Il gigote dans son fauteuil roulant, impatient soudain de grignoter ses Petit Lu ramollis dans la compote. Servis à la cuillère par Chloé, ou par Justine peut-être, la jolie blonde avec une frange, qui parle un peu fort. Et qui rit à ses blagues, quand il a le courage d'en faire. Il connaît leurs prénoms, à toutes. Pourtant, aux soins palliatifs, on n'a pas trop le temps de faire connaissance habituellement. Il est là depuis trop longtemps.

– Comment va ton père ?

– Il est pas venu te voir ces derniers jours ?

– Si.

– Ben alors ?

– Il est passé chef d'équipe sur le dernier chantier, il m'a dit.

Le vieux se plisse dans un sourire. Il y a une belle lumière dans ses yeux de mourant.

– Je suis fier.

– Tu lui as dit ?

Il ne répond pas et cherche soudain autour du fauteuil un objet invisible. Ses yeux se creusent, il semble perdu soudain.

– Où est passée ta grand-mère ? Elle m'a dit qu'elle revenait tout de suite.

Jo se ronge un ongle. Elle a un peu envie de chialer.

– Pourquoi elle revient pas, Jojo ? Elle m'a dit qu'elle serait pas longue.

La jeune fille se lève.

– Elle doit discuter avec papa, t'inquiète. Je vais lui dire de venir.

– Merci, *gatito. Besame.*

Jo fouille au fond de son sac, en extirpe un exemplaire de *L'Humanité* qu'elle dépose près du lit, puis elle se penche sur le vieil homme et embrasse ses rides. Enfant, elle n'aimait pas ça. Depuis qu'il décline, elle se dit toujours que c'est peut-être la dernière fois qu'elle l'embrasse. Par extension, elle se dit ça pour plein de choses, même celles qu'elle fait pour la première fois. Ça pèse un peu lourd mais ça a le mérite d'être lucide.

Pluie d'été

À quinze ans, on n'est pas censée louper le lycée pour cueillir du raisin – mais après cet été-là, personne n'a songé à imposer quoi que ce soit à Jo. Alors elle se mêle aux ouvriers agricoles et se rompt le dos sur les ceps. Parce que c'est là qu'elle a envie d'être, et le lycée peut bien l'attendre une semaine. Il s'agit de mettre du fric de côté, maintenant qu'elle a un projet ; les vendanges lui offrent un épuisement physique salvateur, la jouissance des gestes répétés à l'infini. Dans le coin, il n'y a plus beaucoup de vendanges à la main, mais les grands-parents ont gardé cette habitude. Serpette au creux de la main, elle fauche, remonte chaque rangée avec l'énergie que l'on met dans une fuite, remplit son seau. Elle en éprouve une satisfaction sereine. De temps en temps, elle relève la tête, balance son corps en arrière, mains sur les reins. À la pause de 10 heures, elle colle autour d'une tasse de café ses doigts poissés de jus de raisin, le dos déjà craquant de courbatures, comme les autres. Elle aime ces rituels, les regards croisés des ramasseurs,

la complicité de ceux qui s'épuisent ensemble et bibe-
ronnent à la même bouteille.

Céline, elle, promène son gros ventre entre les
ouvriers et la cuisine des grands-parents. On dirait
qu'elle a fait ça toute sa vie.

L'après-midi n'est pas terminée mais de gros nuages
sombres s'amoncellent au-dessus de la colline : l'orage
qui s'annonce a des couleurs d'apocalypse. Il fait encore
chaud lorsque les premières gouttes s'écrasent, pho-
niques et drues, sur les feuilles, sur la terre et le dos des
ramasseurs.

– On s'abrite ! crie le vieux Kabyle, suivi par le reste
du groupe.

L'orage est trop fort pour rester dessous. Ces déluges-
là sont comme des douches, ils connaissent bien : autant
s'abriter et attendre que ça passe. Tirant chemises ou
vestes au-dessus de leurs têtes, ils courent sous la protection de l'auvent, savourant l'échappée, sortant déjà les
paquets de clopes. Ils s'ébrouent comme des bêtes, font
tourner un briquet, râlent pour la forme.

– Où tu vas ? demande un ouvrier à Jo, alors qu'elle
quitte l'abri.

– Je dois pisser.

– Tu veux pas attendre que ça se calme ?

– Non, et puis j'aime bien la pluie.

En réalité, c'est plus que ça : Jo est fascinée par
l'orage, et elle cavale déjà au travers des bosquets pour
s'isoler des autres et profiter de la pluie.

Jo ressemble à une tige. Elle a gardé le doré de l'été et sa peau rayonne malgré le gris-vert qui assombrit la vallée, teinte le ciel. Dorée et plus sauvage que féroce, au fond. À grands pas sur ses grandes jambes, au travers des taillis, elle coupe les sentiers en animal. La terre sent si fort qu'elle en ressent une gêne délicieuse – comme si elle foulait un corps. Elle aimerait bien enlever ses chaussures, talon-plante-orteils dans la mousse, la boue, la courbe chahutée des roches blanches. Elle aimerait bien mais elle n'ose pas encore. Ça va venir.

Pour l'instant elle court, s'essouffle, respire bruyamment et puis s'arrête, mains aux genoux, reprend sa respiration tête en bas. Elle s'est assez éloignée. Elle se redresse pour retirer son tee-shirt déjà gorgé d'eau, offre son torse et son visage au ciel. La pluie bat ses épaules, son front, coule en ravines sur son crâne, le creux de son dos, entre ses seins. Pas un frisson pourtant, le chaud vient du dedans, l'euphorise. Et si elle sent la pluie couler à l'intérieur, c'est encore une sensation pleine et tiède. Elle n'a pas froid.

Jo n'a pas revu Garance. Ni Côme. Ni aucun des leurs. Le sac est toujours dans la chambre ; Céline a voulu essayer la veste, mais Jo a mis un veto, personne ne touchera au contenu du sac. Comme son opposition farouche ressemblait à une fixette étrange, Céline a laissé tomber. Elle a regardé sa sœur jusqu'au fond de l'œil gauche, a secoué la tête et lâché un *t'es conne* sans appel.

Jo a demandé aux amis de Saïd, ceux de la cité

Docteur-Ayme, s'ils ne l'avaient pas revu, mais personne ne savait. Évidemment, les deux copains qui devaient le rejoindre avaient fermé leur gueule depuis le début, habitués à ce que les flics leur tombent dessus à chaque occasion. Certains d'entre eux avaient été interrogés par la police, et puis plus rien. Les gars haussaient les épaules, contrariés que Saïd ne les ait pas mis dans la confidence, mais depuis qu'il traînait avec les antiquaires, il se la racontait un peu. Alors Jo a aussi posé des questions à la brocante de L'Isle-sur-la-Sorgue, mais les vieux voleurs aux allures de dandys ne savaient rien non plus. La voiture est restée garée devant la maison un moment et puis elle a disparu. Le père a dû la vendre. La mère de Saïd refoule ses larmes lorsque les filles passent à la maison. Du coup elles n'y passent plus beaucoup. Mais Jo bosse près d'elle dans les vignes.

Elle enlève ses chaussures à présent, avec les chaussettes qui restent au fond des baskets, en boules humides. Son jean ensuite, qui colle aux cuisses. Elle titube un peu, l'humidité plaque le tissu, mais elle le retire comme un insecte s'arrache d'une mue, le jette côté coutures dans la menthe sauvage qui s'octroie une partie de la terre, farouchement odorante.

C'est étrange, comme on s'habitue à tout. Jo n'aurait pas pensé que l'absence de Saïd trouve place dans sa vie. Il a toujours été là, et pourtant elle accepte sa disparition avec une rancœur subtile, comme s'il était parti contre elle. Il lui offre un manque, une douleur d'abandon qui donne à sa vie des couleurs plus intenses. Elle l'imagine qui s'installe, seul, dans un pays étranger ; elle le voit marcher dans des rues inconnues, magnifié par l'audace d'un tel virage. Il lui arrive de penser qu'il est peut-être tout simplement tombé dans une combe, et mort d'épuisement, mais ça ne prend pas corps. Elle préfère l'autre version, celle où il déambule avec ses Ray-Ban dans une ville étrangère ; il pense à elle alors, il regrette peut-être de l'avoir abandonnée ici. Elle aussi elle partira, elle en est sûre à présent.

La pluie redouble soudain, l'enlise jusqu'aux chevilles, et les trombes fracturent le paysage, isolant la jeune femme du reste du monde. Elle n'y voit plus à cinq mètres ; de toute façon, ça tombe si fort qu'elle est obligée de fermer les yeux. La pluie cliquette sur son corps, cingle la peau et s'y écoule, caresses après coups. Ça dure quelques minutes ou beaucoup plus, une danse avec très peu de gestes. Et puis sa tête bascule en arrière et Johanna pousse un long cri de gorge et de bête, un cri qui n'est pas une plainte ni un appel mais un peu des deux, un cri qui la prolonge, rauque et euphorique. Mais lorsqu'elle va jusqu'au bout de son souffle et qu'elle se tait, c'est un autre cri qui répond à son silence ; plusieurs cris en réalité, qui se mêlent au bruit de la pluie, et qui viennent de la maison des grands-parents. Elle croit même entendre son prénom.

Est-ce qu'ils sont inquiets pour elle ? Ou c'est autre chose ?

La magie est passée : la transe étrange, pieds dans la boue, lui semble soudain décalée, honteuse. Elle se rhabille, le jean colle et elle a du mal à l'enfiler, elle laisse tomber les chaussettes et galope pieds nus jusqu'à la propriété, une basket dans chaque main.

Ça s'agite sous le tilleul, malgré la pluie.

Sa sœur, pliée en deux, pousse des petits gémissements tandis que la grand-mère s'affole sur son téléphone. Les ouvriers braillent, chacun donnant son avis sur la marche à suivre.

– On peut prendre ma voiture, hurle Pascal au-dessus de la mêlée, mais la vieille lui fait signe de se taire – elle essaie d'avoir sa fille ou son gendre au téléphone, sans succès.

Jo compte dans sa tête, *six mois c'est pas long, peut-être sept d'accord mais ça fait toujours pas neuf.*

Pascal court jusqu'à sa vieille Peugeot, garée plus loin sur le chemin. Il la démarre et roule jusqu'au tilleul. Les autres s'écartent, Céline monte à l'arrière. Au moment où la grand-mère va s'installer à la place du mort, Jo déboule et se campe devant la portière.

– J'y vais, mamie. Tu peux rester ici.

La vieille regarde les pieds nus de Jo, couverts de boue, son corps entier trempé par l'orage. Elle enlève sa veste en laine, la lui pose sur le dos.

– Va. Je vais essayer de prévenir ta mère.

231

– Et mon père.

– Et ton père.

Céline pousse un cri de douleur, recroquevillée sur la banquette arrière.

– Allez-y, dépêchez-vous.

Pascal démarre en trombe. Les essuie-glaces couinent contre le pare-brise, poussent des paquets d'eau qui semblent revenir aussitôt. Jo tend le bras et tapote la hanche de sa sœur, n'ose pas saisir sa main. L'eau de pluie coule jusque dans ses yeux et dans ses oreilles. Elle s'ébroue comme un animal, frissonne d'inquiétude et de froid.

Aime-moi, Lili

– C'est lui qui est parti ?

Valérie hausse les épaules ; le gras du bras retombe, pathétique, contre la robe gaufrée, trop chaude pour la saison malgré l'orage.

– J'en pouvais plus.

– C'est toi alors ? insiste Séverine.

– Non, c'est lui, mais il a bien fait.

– Tu lui donnes raison ? Tu t'entends ?

Séverine s'agite, elle s'énerve à la place de l'autre, à croire qu'elle parle pour toutes les femmes, alors qu'il s'agit seulement d'elle. Elle est appuyée contre le mur extérieur de l'école, à peine abritée sous l'avancée du toit, un pied contre un bac de fleurs. L'orage tonne encore, explose au loin. Elle s'allume une clope – la dernière avant de reprendre. La récréation est presque finie, elle fait juste une pause parce que Valérie est passée. Forcément, l'instit lui fera une remarque désagréable quand elle rentrera, parce qu'elle est censée surveiller les enfants pendant la récréation, mais merde, elle est crevée. Avec cette pluie en prime, les gosses vont mettre de l'eau partout.

– Y a pas de raison ou de tort, de toute façon je m'y attendais. Je crois même que j'attendais qu'il le fasse, depuis longtemps.

– Alors pourquoi tu t'es pas cassée ?

Valérie secoue la tête, hésite.

– Je sais pas. Il est gentil quand même, tu le connais.

En réalité, Séverine n'écoute pas vraiment. Elle colle chaque réponse à son cas à elle, se demande si elle vaut mieux que Valérie, si elle est juste au point mort parce que la vie en réserve un bon paquet ou si elle noircit encore le tableau et que sa vie n'est pas si mal, au fond, comparée à celle de sa copine.

Dans la poche de sa blouse de travail, son portable vibre et sonne.

– Vas-y, tu peux répondre.

– Non, c'est ma mère, j'ai aucune envie de lui parler.

D'un geste du pouce, Séverine fait taire l'appareil, et elle en tire une petite satisfaction, confondant machine et interlocutrice.

– Tu disais ?

– Je sais plus.

– Tu vas t'en trouver un qui arrive à te faire un gosse ?

Valérie serre les dents : Séverine, elle met pas toujours les formes. Rarement en fait.

– Tu parles. C'est trop tard maintenant.

– Tu peux toujours, t'as encore quelques années.

En silence, elles tirent sur leurs clopes dans un même mouvement. Elles aimeraient bien s'asseoir mais le bois du seul banc libre est imbibé d'eau. Sa peinture vert forêt s'écaille depuis longtemps en lamelles grattées par les ados qui traînent parfois devant l'école, pour venir chercher un frère ou une sœur. Il y a des mots gravés dans le bois, des phrases écrites au marqueur. *Porn to be alive* par exemple, la boucle du B initial a été effacée sciemment. En dessous : *Aime-moi Lili* – avec la pointe d'un compas sans doute – ça a dû être long et pénible à graver, un vrai sacerdoce amoureux. Valérie soupire. Elle piétine sur elle-même, croise les bras sur sa grosse poitrine.

– Ça fait longtemps que c'est compliqué Patrick et moi, et depuis la fin du dernier chantier, c'est devenu insupportable. Alors bon, je crois qu'il était temps.

– Il va aller où ? Tu sais ?

– Apparemment il veut partir d'ici. Il m'a parlé d'une entreprise de travaux publics à Marseille.

– Marseille ? Il bosserait plus avec Manuel ?

Cette séparation-là lui semble bien plus scandaleuse que l'autre.

Son portable sonne encore.

– Merde, elle veut pas me lâcher ?!

– Tu devrais peut-être répondre, quand même.

C'est cette faiblesse dans la voix de Valérie, cette courbure face à l'injonction, qui décide Séverine à éteindre complètement son portable. Elle l'enfonce rageusement dans sa poche.

– Manuel est au courant ?

– Je sais pas. J'imagine qu'il t'en aurait parlé, non ?

– Non. On parle pas beaucoup en ce moment.

Elles échangent un regard, sympa mais pas trop, elles sont devenues amies il y a vingt ans parce que leurs mecs l'étaient. Les deux se demandent si ça tiendra, maintenant que l'un des couples explose. Dans ses choix d'amitié, Séverine a gardé cette cruauté d'adolescence, ce besoin de s'entourer de gens dont la valeur rejaillit sur elle ; la douceur molle de Valérie, son physique même l'éloigne d'elle. Elles ne sont plus assez jeunes pour que sa copine fasse office de faire-valoir, et sa gueule d'échec donne à Séverine l'ignoble impression de voir jaillir le sien. Mais aucune des deux n'a oublié ce fameux soir où Séverine, pour une fois, avait lâché prise. Jo avait cinq ans, Céline six, Séverine allait bientôt fêter ses vingt-quatre. Elle était si jeune, et elle traînait ses filles comme deux appendices gênants, maintenant qu'elle avait retrouvé ses formes et son envie d'aller danser. Mais les soirées en boîte avaient été remplacées par les repas entre collègues, enfin les collègues de son mari, et leurs femmes. Alors elle buvait un peu trop en riant fort, à la terrasse du Cheval blanc, tandis que les bouteilles de rosé tournaient entre les ouvriers, dont les discussions alternaient entre de saines colères anti-patronales et des douceurs un peu lourdes envoyées à leurs femmes. Les gosses jouaient entre et sous les tables, quelques poussettes bloquaient le passage, le serveur faisait passer les plats par-dessus. C'était une chouette ambiance, les gars se projetaient, ils étaient joyeux et en chemise. Mais Séverine avait un peu trop bu, et quand la sono avait envoyé une compil des années 80 – des vieux trucs qu'elle n'aimait même pas – l'émotion était montée jusqu'à la fêlure sans qu'elle sache vraiment pourquoi. Peut-être à cause de ces tubes débiles dont tout le monde connaissait les paroles évidemment, alors tout le monde avait chanté *et moi je vis ma vie à pile ou face*, et puis *que je t'aime, que je t'aime que je t'aime*, les mecs hurlaient comme des coyotes, les femmes donnaient la réplique, le patron était sorti avec de nouvelles bouteilles, il braillait aussi fort que les autres. Mais lorsqu'ils avaient entonné *Comme une pierre que l'on jette dans l'eau vive d'un ruisseau*, elle s'était sentie si triste que Valérie s'en était rendu compte et était venue près d'elle. Les cercles de vin sous les verres ballons déchiraient les nappes en papier, et Séverine suivait du doigt les sillons humides, découpait des morceaux, les pliait – elle se concentrait sur ses mains pour ne pas chialer. Et puis la présence de Valérie, sa gentillesse – Séverine se méfiait pourtant de la gentillesse, signe de la faiblesse –, la douceur de ses questions. Alors elle s'était soudain lâchée comme elle ne le faisait jamais : le ras-le-bol, l'angoisse, les filles qui grandissaient et dont elle n'avait pas toujours envie de s'occuper, le désir de retourner au lycée, sortir, et puis l'insouciance, c'était fini, mais elle, elle ne voulait pas, c'était allé trop vite tout ça. L'impression de passer à côté de sa vie sans savoir quelle vie elle voudrait à la place. Vingt-quatre ans et c'était plié. L'alcool et le silence attentif de Valérie, le bruit autour comme un paravent, l'avaient incitée à parler comme jamais elle n'avait osé le faire.

Si elle en avait été soulagée sur le coup, s'en souvenir le lendemain l'avait mortifiée. Et s'en souvenir aujourd'hui est encore désagréable. Parce qu'à cause de ce soir-là, Valérie sait que malgré ses airs, Séverine est aussi fissurée que le reste du monde.

– Tu tiens le coup alors ?

Valérie grimace un sourire tordu.

– J'ai plus de boulot.

– Quoi ?

– Restructuration. On est plusieurs, c'est pas que moi.

– Merde, les cons ! Tu vas faire quoi ?

– Je sais pas, j'ai rendez-vous à Pôle emploi demain.

– Non mais pour le licenciement, tu les attaques ?

– Je préfère pas faire de vagues. Ils nous ont donné une petite prime... Si on gueule, ils risquent de jamais nous reprendre. Alors que bon, si je ferme ma gueule, peut-être que la prochaine fois qu'ils embauchent, ils se souviendront de moi, tu vois ?

Une femme pousse la porte et interpelle Séverine

vivement, lui rappelant que les enfants sont rentrés en classe depuis plus de cinq minutes. Le ton est agacé, faussement bienveillant et sans appel. Alors Séverine serre le bras de Valérie, l'embrasse et s'engouffre dans l'école. Elle se retourne juste avant de refermer la porte.

– Passe à la maison quand tu veux. T'es pas toute seule.

Sous la promesse, les joues de Valérie tremblent un peu ; elle lève les yeux très haut en appuyant sur ses cernes du bout des doigts et renifle. Elle ne veut pas qu'elles coulent, les grosses larmes de l'abandon et d'une moitié de vie foirée.

Du sang sur les draps

– Elle est où maman ?

Jo ne peut pas répondre. La mère doit être coincée au boulot, c'est ce qu'elles se disent, c'est ce qu'il y a de mieux à se dire bien sûr.

– Je suis là, chuchote Jo qui aimerait être ailleurs, sous la pluie encore ou accroupie entre les rangées de vignes, n'importe où mais pas là, avec cette combinaison bleu pâle ridicule et cette charlotte en papier, ces toubibs agités autour de sa sœur qui, cuisses ouvertes et respiration erratique, appelle sa mère.

Céline couine, agrippée à la main de Jo ; ni l'une ni l'autre n'est capable de dire depuis combien de temps elles sont là à présent, à attendre que les choses se passent sans elles, puisque personne ne leur parle.

Une femme en blouse blanche glisse un gros galet froid sur le ventre de Céline, un truc relié à un appareil qui bipe et affiche des chiffres en rouge. Une autre inonde l'entrejambe de Céline avec de la Betadine. Elles ont l'air de penser que c'est pour maintenant, elles disent que le col est ouvert et vu les cris que pousse Céline de façon régulière, les contractions sont rapprochées. Le gynécologue arrive enfin, elles devinent que c'est un médecin à la déférence soudaine des infirmières, quand il débarque. Il se lave les mains lentement, concentré sur chaque bout de peau, frottant dans les creux entre ses doigts et sur ses poignets, jusqu'au milieu des avant-bras. Il s'installe enfin sur un tabouret au bout du lit, sans regarder le visage de la jeune fille.

– C'est maintenant, mademoiselle. On se ressaisit et on y va.

Céline pleure et son nez coule, elle a mal et elle ne comprend pas ce que ça veut dire : *on y va.*

Le gynécologue lui tapote la cuisse, on voit bien qu'il est agacé.

– Écoutez... Céline ? – il a collé son nez sur la fiche d'entrée accrochée au bord du lit à roulettes. Vous allez avoir un bébé, alors soit vous vous mettez au travail, soit on vous fait une césarienne. À vous de voir.

– Mais je fais quoi ? demande l'adolescente, la voix éraillée par les larmes.

– Vous n'avez pas fait de préparation à l'accouchement ?

Les larmes de Céline redoublent. Le gynécologue soupire. Il regarde enfin sa patiente, et Jo près d'elle. Il semble enfin réaliser qu'il a affaire à deux gamines ; il fait signe à une sage-femme, lui glisse quelques mots auxquels elle acquiesce et elle ajoute trois notes dans le dossier.

– On ne peut plus vous faire de péridurale, alors il va falloir être courageuse. Mais ça ne sera pas long, le bébé est là, il ne demande qu'à sortir.

– Mais c'est trop tôt, non ? ose enfin Johanna.

– Bien sûr que c'est trop tôt, mais si… Céline se met au travail rapidement, on devrait y arriver, et le bébé ira en couveuse. On n'est plus dans les années 60, j'en ai accouché des plus prématurés que ça.

Jo trouve qu'il est plutôt sympathique, cet homme. Même s'il a l'air de s'ennuyer, même s'il a l'air agacé par la peur de Céline alors que tout de même, y a de quoi être terrifiée, pense Jo.

– Je voudrais attendre ma maman, lâche enfin Céline dans un sanglot.

Le gynécologue la regarde par-dessus ses lunettes. Jo n'arrive pas à savoir ce qu'il pense. S'il la trouve conne ou s'il pense à sa propre fille, s'il en a une d'ailleurs, c'est bien possible, il a l'âge d'être leur père, peut-être qu'il juge sa sœur, peut-être qu'elle lui fait pitié, Jo a de la suite dans l'imagination, et de la hargne en reste, elle se demande si elle va devoir lui sauter à la gorge, elle aimerait mieux pas parce qu'il est le seul à pouvoir les aider alors bon sang qu'il ferme sa gueule et qu'il le fasse.

– Non, on ne peut pas attendre ta mère. Tu es capable de le faire toute seule, et d'ailleurs tu n'es pas seule.

Il est fort, ce con. Et même le tutoiement soudain ne choque personne. Sauf peut-être la sage-femme, qui relève la tête en fronçant les sourcils.

– *Vous* avez l'âge d'avoir un enfant, alors c'est que *vous* n'en êtes plus une, dit-elle sur un ton sans appel.

Une contraction particulièrement violente empêche qui que ce soit de répondre : Céline pousse un cri de gorge qui se prolonge dans l'effort.

– Très bien, ponctue le gynécologue avec flegme. Je vois sa tête, on recommence.

Jo laisse sa sœur lui labourer les bras et lui serrer les poignets jusqu'à la douleur. Céline halète violemment. Et puis, dans une ultime poussée, sans crier cette fois, elle expulse la petite chose rouge et gluante, immédiatement saisie par l'homme. Plusieurs blouses blanches se précipitent. Jo réalise qu'elle tremble de la tête aux pieds, même ses dents claquent comme par grand froid alors qu'il fait une chaleur à crever. Il y a du sang sur le drap, elle le voit bien mais ne sait pas si c'est normal.

– Elle crie pas. Pourquoi elle crie pas ? s'affole Céline.

Un vagissement la fait mentir. Pas un hurlement non plus, pas un déploiement pulmonaire d'enfant à terme, d'enfant victorieux qui va bouffer le monde. Mais une toute petite clameur vivace, quand même.

Jo caresse la tête de sa sœur ; elles n'ont jamais été aussi proches et seules qu'en cet instant.

– Ça va aller, ne peut s'empêcher de répéter Jo, dans un élan de conjuration mensongère – mais non dénuée d'espoir.

Comme la chanson

De temps en temps, Manuel retourne se coller au-dessus de la couveuse – installée avec d'autres dans une salle vitrée, pas loin de la chambre de Céline. Il observe la minuscule tête qu'il pourrait écraser d'une seule main – c'est étrange mais il n'arrête pas de penser à ça : *je pourrais l'écraser d'une seule main.* Cette extrême fragilité le rend dingue, il a l'impression d'être saoul alors qu'il n'a bu que deux bières, il pense mille choses en même temps et ne sait pas ce qu'il ressent. Il est venu directement du chantier, dès qu'il a su. Une fine couche de peinture blanche constelle son visage et ses cheveux, ses fringues. Il ne parvient pas à rester immobile, il arpente le couloir, retourne dans la chambre où Céline somnole, la traverse de part en part, changeant de mur à chaque traversée ; il étoile ses déplacements mais la chambre est trop petite pour ses mouvements. Il ressemble à un fou ou une bête enfermée. Il s'assied soudain au bout du lit.

La mère est là aussi, elle aurait aimé venir plus tôt mais elle ne savait pas, elle s'excuse mais pas trop. Si elle se sent coupable d'avoir éteint son portable, elle n'en laisse rien paraître. Elle observe sa fille, après être allée voir l'enfant minuscule dans la boîte transparente. Parfois elle jette un œil sur la télé, allumée sans le son au-dessus de leurs têtes, au bout d'un bras en acier. C'est un documentaire animalier, les grands singes succèdent aux fauves – une sauvagerie rassurante, banale. Séverine s'est assise près de sa fille, sur le seul siège de la chambre. Elle gratte la couture de son jean du bout de ses ongles longs et roses. Elle s'acharne sur le tissu. Céline voudrait bien savoir ce qu'elle pense.

Mais c'est le père qui parle, soudain, sans regarder personne.

– T'étais jolie quand tu es née. Tellement jolie. On savait que c'était trop tôt, on savait que ce serait difficile mais j'étais heureux, Céline, tu sais. J'étais heureux.

Céline n'en revient pas, de la déclaration du père. Elle voudrait qu'il se taise, c'est trop, elle n'a pas l'habitude. Il fait les cent pas dans la chambre, ahuri par l'événement. Il est bouleversé, il ne pensait pas l'être autant. Maintenant il se tait, ne semble pas vouloir en dire plus, et Céline en est soulagée. Elle espère le retour de Jo, descendue acheter des Coca à la machine du hall.

Mais lorsque Jo remonte enfin et entre dans la chambre, les bras chargés de canettes, elle n'est pas seule. Une femme l'accompagne, une femme qui donne simultanément l'impression d'une grande lassitude et d'une grande amabilité. Sans âge mais jolie, son col roulé retombe sur ses épaules et donne envie de se nicher dans cette douceur-là, une laine qu'on a envie de toucher, un sourire qui se veut rassurant. Sa besace en cuir la fait ressembler à une étudiante, malgré les cheveux blancs qui se mêlent au châtain des deux côtés de son visage. Pendant que Jo distribue les canettes, la femme serre la main de Céline, puis celle des parents. Elle dit qu'elle est assistante sociale, qu'il y a eu un signalement fait par l'infirmière scolaire, qu'elle avait prévu de les contacter avant mais qu'elle a eu trop de travail. Elle dit qu'elle a été prévenue de l'accouchement par le médecin de la PMI. Elle dit qu'elle est heureuse de les rencontrer, tous. Elle dit qu'ils vont faire connaissance, et faire le point aussi. Sa voix est grave, une voix de fumeuse au débit enjoué.

— Le point sur quoi ? demande Séverine, pas du tout avenante.

Pas du tout heureuse de la rencontrer.

— Le point sur la situation.

— Quelle situation ?

— Votre fille, vous.

— On vous a rien demandé.

— Vous non, je sais bien. Je fais partie des services de l'aide sociale à l'enfance, et quand une adolescente si jeune tombe enceinte, ça fait partie de mon travail de faire une enquête. D'autant que le premier signalement a été fait suite à des coups.

Son discours est bien rodé, elle l'incarne avec chaleur

et détachement ; cette femme est un concentré d'ambi-
valence. On a envie de la repousser et de se faire aimer
d'elle.

– Oui enfin, c'est pas une enfant battue non plus,
s'insurge Séverine.

– Je ne sais pas. C'est mon boulot de le déterminer,
madame.

– On n'a rien à vous dire, grogne Manuel.

– On n'a besoin de personne, insiste Séverine.

L'assistante sociale s'approche de Céline.

– Ça s'est bien passé, l'accouchement ?

La jeune fille hoche la tête.

– Est-ce que tu as prévu de retourner au lycée,
après ?

– Non.

– Mais ça vous regarde pas ! s'écrie Séverine. Pourquoi vous lui demandez ça ?

– Parce que c'est mon travail.

Séverine perd la mesure et sa voix monte d'un cran.

– Tu sais ce que c'est ton travail, connasse ? C'est un
travail de merde ! Fouiller la vie des gens... tu te crois
meilleure ?

L'assistante sociale soupire à peine, elle a entendu ça
mille fois. Le ton qui change, le tutoiement hargneux.

– C'est pas la question, madame.

– Ah oui ?

– Je suis venue vous rencontrer mais je vais vous laisser ensemble pour l'instant.

– C'est ça, laisse-nous.

– Je vous appellerai pour un prochain rendez-vous.

– Laisse-nous, casse-toi !

– Chez vous par exemple, ce serait bien.

Séverine se gonfle de colère à vue d'œil, mais Manuel pose une main sur son épaule en guise d'apaisement. Il connaît les services sociaux, lui, parce qu'il se souvient aussi de la mère de Patrick, des gens comme cette femme qui ont aidé son ami, il y a longtemps. Il sait qu'ils peuvent être efficaces, voire même sympathiques quelquefois... et pugnaces aussi. Le droit est de leur côté. Alors il vaut mieux ne pas la braquer, l'assistante sociale, il le sait. Il est moins con que ce que peut penser Séverine, Manuel.

La femme ramasse ses cheveux et les entortille sur sa nuque, un geste qui la rend plus jeune que ce qu'elle est.

– Je vous appelle la semaine prochaine.

Quand elle s'en va, que la porte se referme sur elle et son insupportable sérénité, ils se retrouvent tous les quatre, et c'est la première fois depuis longtemps. Séverine ne décolère pas – ça repousse le malaise et le moment de parler de la suite. Et puis ça resserre les liens, un ennemi commun. Même Jo qui rêve de s'enfuir ne supporte pas que d'autres qu'elle critiquent sa famille. Elle seule a le droit de les trouver cons comme des huîtres, brutaux ou à côté de la plaque. D'ailleurs elle n'a jamais voulu changer de famille, juste ne plus en avoir, et surtout ne rien leur devoir. Mais qu'une inconnue vienne mettre son nez chez eux, ça ne lui convient pas. Ils n'ont besoin de rien, ni de personne.

Séverine se tait enfin, serre les accoudoirs du fauteuil avec rage, hésite à reporter sa colère et la responsabilité de la situation sur son mari ou sur sa fille aînée.

Dans le silence de son hésitation, et comme personne n'a encore pensé à le demander, Céline annonce :
– Elle s'appelle Jolene.
Alors Séverine sourit.
– Comme la chanson ?
– Quelle chanson ? demande Manuel, mais personne ne l'éclaire.
La mère et la fille s'observent, se jaugent au-delà des conflits.
– Oui, comme la chanson, répond Céline à sa mère.

L'été de ses quinze ans

Il avait aimé qu'elle soit si jeune. Il avait aimé l'impressionner, lui qui n'impressionnait pas grand monde. Patrick se souvient de son dos, sa nuque dans le sommeil d'après-midi – un sommeil d'enfant. La douceur de ses cuisses, de son sexe mouillé. Il n'avait même pas fait des choses extraordinaires avec elle, pas de fantasmes enfouis qu'il aurait voulu réaliser avec elle, offerte à ses appétits, consentante, joyeusement naïve. Avec elle, il avait juste eu l'impression d'être moins vieux, et il l'avait aimée comme un adolescent. Il y avait eu des périodes, avec Valérie, où le sexe ritualisé, érodé par l'habitude, avait été remplacé par quelques expériences plus excitantes, des variantes censées réveiller leur libido en berne. Mais avec Céline, il n'en avait pas eu besoin, ni envie. Juste sa nudité, ses expressions de surprise ou de plaisir ; le souvenir d'un cri ou d'une hésitation le faisait bander des heures plus tard. Elle n'était plus la fille de son ami. Elle était elle, elle était à lui. Ça demandait beaucoup de mauvaise foi, d'opérer la césure, de ne pas se sentir un salopard. Céline était un peu idiote parfois, un peu bébête, répondant à son téléphone d'une voix d'enfant, appelant ses copines « bitch » ou « ma chérie », évoquant très sérieusement un conflit risible avec un prof. Ça pouvait l'agacer, lui rappeler son âge, mais ça ne suffisait pas à faire cesser l'addiction. Sa peau lisse, ses chairs tendues, son enthousiasme. Ça lui faisait mal quelquefois, cette obsession, mais elle lui ouvrait un monde dans lequel il était l'inverse de ce que ça pouvait paraître : l'inverse d'un salaud, l'inverse d'un vieux con qui se tapait une gamine ; elle lui offrait justement d'être autre chose, de toucher du doigt un absolu indicible, une vérité qui ne serait pas celle des autres – une vérité informe mais essentielle, bien plus puissante que lui. Avec elle, il se sentait meilleur, comme si tout pouvait recommencer.

Il est revenu ici pour le week-end, il fallait qu'il la voie. En plus il doit récupérer encore quelques affaires que Valérie a bien voulu stocker ; elle a gardé l'appartement, c'est pas facile pour le loyer mais elle a l'air de s'en sortir. Il ne s'est pas trop posé de questions à ce sujet.

C'est au parc qu'il a donné rendez-vous à Céline, celui qui est derrière la mairie. À cette heure il n'y a personne, et puis c'est l'hiver, les toboggans sont mouillés, la terre boueuse, crevée de flaques gelées.

Il la voit arriver de loin, poussant la voiturette de

l'enfant devant elle. Il voit ses cheveux bruns qui se balancent en mouvement, sa nouvelle frange qui lui dégage le visage, ses hanches qu'elle appuie contre la poignée du landau. Elle s'arrête à quelques mètres, ne semble pas vouloir aller plus loin, alors c'est lui qui marche vers elle.

La première fois, c'est elle qui s'était avancée vers lui, malgré la peur qu'il la repousse parce qu'elle était si jeune. La première fois, c'était chez lui, juste quand Valérie venait de partir au boulot. Deux jours après la virée aux Salins-de-Giraud, elle s'était pointée comme une fleur à l'appart. Elle n'avait même pas eu besoin d'utiliser une excuse bidon, ils s'étaient compris dès le pas de la porte.

Elle croyait que ça devenait rugueux, un sexe d'homme, avec le temps ; comme les mains ou le visage qui se ravinent, s'épaississent ou se craquellent. Elle avait été surprise par la douceur de la peau, la fragilité des testicules sous sa main de jeune fille. Agenouillée dans l'entrée, elle l'avait pris dans sa bouche, parce que c'est la seule chose qu'elle désirait : ce sexe d'homme, doux et raide, cet endroit de fierté pour eux deux, lui dans la pleine faculté de ses moyens, elle dans la certitude que c'était pour elle qu'il bandait si fort. Et pour la première fois, alors qu'elle pensait vouloir prouver quelque chose, elle avait oublié les règles, les significations et la pornographie. Oublié ce qu'il fallait faire ou ne pas faire, à l'âge où ces choses-là comptent plus que tout ; seul le désir guidait sa langue, ses lèvres, ses mains. Elle avait frotté son visage contre sa queue comme un petit animal se loge dans les coins les plus doux, joué avec comme si rien n'avait plus d'importance que ce jeu-là ; elle n'avait rien compris de ce qui lui arrivait, la maîtrise lui échappait alors qu'elle était enfin au cœur des choses. Lui en tremblait, de tout ce désir, il caressait ses cheveux du bout des doigts, rentrait son ventre avec la peur d'être brutal ou maladroit, ou d'être surpris. C'est lui qui l'avait relevée, de peur de jouir dans sa bouche, et l'avait emmenée jusqu'au canapé. Peut-être ces instants-là avaient-ils déterminé la valeur de leur histoire, celle qu'ils avaient décidé de lui accorder. Par la suite, il y avait eu d'autres moments très beaux, du sexe joyeux et des baises ardentes, mais rien qui n'ait égalé la magie de cette première fellation dans l'entrée, une magie ténue comme une déclaration d'amour.

Très vite, il avait cessé de claquer sa paye dans les paris, à la sortie du boulot, mettait de côté pour payer l'hôtel. Céline adorait ça. Elle ne voyait rien de miteux là-dedans, rien de vulgaire. L'hôtel, c'était les draps blancs et frais, la chambre à soi, même quelques heures. C'était une affaire de femme, son Eldorado à elle. Elle aimait aussi que ce soit interdit, et les efforts pour se retrouver. Ils s'étaient vus une dizaine de fois, pas plus. Lorsqu'ils se croisaient ailleurs, ils n'avaient même pas besoin de faire semblant : ils redevenaient autres, redevenaient ce qu'ils étaient censés être l'un pour l'autre, et c'était une nouvelle complicité qui jaillissait de ces instants-là sans que personne ne s'en aperçoive.

Ils ne parlaient pas d'amour, d'ailleurs ils ne parlaient pas beaucoup, chacun vivant l'expérience comme un film personnel, en avait une lecture interne dont l'autre était finalement exclu. C'était un délicieux malentendu.

Parfois, il se dit qu'il a laissé mourir un homme *pour elle*. C'est quand ça revient, les images. Le reste du temps, il s'efforce d'oublier. Ne pas en parler l'y aide. Lorsqu'il se retrouvait seul avec Manuel, c'était trop difficile. Surtout depuis la nuit où... Il la nomme ainsi dans sa tête, impossible d'en dire autre chose. *La nuit où*. Après cette nuit-là, face à Manuel, il devenait ordure, salopard de première. Il avait honte. Partir, c'était encore le mieux. La seule issue qu'il ait trouvée, et au fond, ce n'était sans doute pas la pire.

Depuis qu'il est à Marseille, il lui arrive même de ne plus y penser, ni à elle ni au corps défoncé par les coups enfoui sous le béton durci. Parfois, il marche des heures dans la ville et au-delà, errant jusqu'à Callelongue ou la Baie des Singes. La présence de la mer l'apaise. Sur la route des Goudes et tout au bout, il se perd dans les caillasses crayeuses, pointues. Il s'imagine tomber, parfois. Il pense au fond de l'eau, au silence sous-marin, au bleu sombre qui reposerait ses yeux. Patrick ne sait plus se reposer, il dort si mal qu'il en a oublié les grasses matinées, même les jours chômés. L'avenir ne veut plus dire grand-chose pour lui, l'avenir veut juste dire demain, et l'heure qui verra se lever le jour.

Il va au bar les soirs de match, rejoint la meute des hommes au Calenzana, le bistrot corse en bas de chez lui. Devant le grand écran, au milieu des autres, il se sent plus seul que jamais mais moins vide. C'est l'avantage des bistrots. Il ne pense pas beaucoup à Valérie, il faut bien le dire.

Il a l'air d'un enfant coupable lorsqu'il s'approche du landau. Un peu bravache sous la gêne, les gestes empêchés.

Elle le regarde mais avec les yeux vides. Il n'y a qu'eux et pourtant il chuchote.

– J'ai trouvé du boulot à Marseille.

Elle ne dit rien, il se demande si elle a entendu. Il se dit que c'est débile, elle le sait forcément.

– On s'est séparés tu sais, avec Valérie, ça marchait plus tous les deux.

Ridicule, il se sent ridicule. Tout petit, menteur, pas à la hauteur. Il ne lui a pas parlé depuis des mois. Il convoque le souvenir de son rire, de son cul sur les draps blancs, mais ça ne marche pas, l'enfant endormie près d'elle et ses cernes de parturiente la propulsent en altitude. Elle le traverse du regard. Patrick ose enfin, la voix un peu trop vibrante :

– C'est la mienne ?

Elle ne répond pas. Il cligne des paupières, fait jouer sa mâchoire. Il aimerait bien prendre la gosse dans ses bras, c'est nouveau ce qu'il ressent, c'est con, mais ça lui fait de l'effet, tout de même.

– Je peux la prendre ?

Une esquisse de mouvement, ses mains vers l'enfant endormie, emmitouflée jusqu'à disparaître sous les couvertures.

– Non.

Alors il enfonce ses mains dans ses poches, les immobilise. Il marche vers les balançoires, revient vers elle, il respire fort, il a peur – il est presque heureux, cet imbécile.

Peut-être que si elle disait *Reste*, il resterait. Peut-être qu'il affronterait son ami. Qu'il parlerait enfin. Peut-être qu'il serait capable d'expliquer son silence, *la nuit où*. Patrick aime bien se raconter des histoires.

– Je t'enverrai de l'argent.

Elle secoue la tête.

Céline ne le lâche pas des yeux. Il la trouve sublime, malgré la fatigue, les taches de grossesse sur son visage sans maquillage, sa bouche serrée, son sweat capuche d'adolescente avec des petites étoiles argentées, sous son anorak. Elle n'a pourtant plus rien d'une enfant. Elle l'a gagné, son statut de femme. Au prix fort.

Au bout d'un moment, le malaise est si fort qu'il a envie de cogner dans quelque chose.

– Je te raccompagne un peu ?

Elle fait demi-tour avec le landau et il prend ça pour un oui. Ils marchent côte à côte sans parler. Sur la place principale, les décos de Noël clignotent en plein jour ; des étoiles filantes relient les murs et des rennes stylisés galopent en tirant un traîneau. S'il neigeait, ce serait plus supportable. Devant la mairie, des gosses font des figures de skate et de BMX, engoncés dans des anoraks aux capuches doublées de fausse fourrure. Une affiche annonce la réouverture de la salle des fêtes, une autre celle des heures de messe. Patrick et Céline passent devant les jeunes sans leur prêter d'attention, s'engagent sur le chemin viticole qui mène au lotissement. Elle galère un peu dans les cailloux avec les roues, alors il dit *laisse*, et il la pousse doucement pour guider le landau à sa place, sans lui donner vraiment le choix. Elle glisse ses mains dans ses poches, le laisse faire. Ça l'impressionne, Patrick, d'être responsable de la voiturette et du sommeil de l'enfant. Ils marchent lentement, comme s'ils s'accordaient sur la préciosité de l'instant, la nécessité de faire durer un peu l'illusion. Il repense à cette première fois, dans l'entrée. C'est une pensée lumineuse et pleine de chagrin. À cinquante mètres de la maison, c'est elle qui stoppe leur marche.

– Tu ferais mieux d'y aller.

Il ne répond pas, baisse la tête, la relève pour chercher son regard, guetter un pardon ou la confirmation que tout ça a eu lieu. Il voudrait lui dire que c'était important, gosse ou pas gosse. Il voudrait qu'elle sache que lui aussi, il en garde les traces, sous la peau, dans sa tête. Qu'il n'a pas touché une fille depuis elle, depuis des mois. Que ça lui manque mais pas tant que ça.

Le bruit des roulettes, sur les graviers : Céline est déjà loin, elle lui a tourné le dos et file vers la maison. Il la regarde s'éloigner, il ne sait pas s'il la reverra. Pas avant longtemps de toute façon.

Il se sent dévasté – soulagé aussi.

Brasiers

Les étourneaux volent en masse lascive comme un tableau mouvant, au-dessus du brasier. C'est Manuel qui a rassemblé les feuilles mortes au milieu du jardin, et il en profite pour faire brûler les pieds du fauteuil Voltaire. Il monte une fumée opaque et grise dans la nuit qui vient. Le vacarme que font les oiseaux à chaque déplacement est assourdissant, un bruissement élégant lorsqu'ils volent, puis les piaillements criards lorsqu'ils se posent, comme des milliers de paires de ciseaux qui couperaient le vide, découperaient le ciel.

Un autre chantier a commencé pour Manuel. Sur l'ancien, la piscine est finie, les dalles posées, l'autre conne n'a rien eu à redire. Quand elle est revenue, les travaux étaient bouclés, le bassin mis en eau clapotait près de la piscine agrandie. Il a imaginé des coupes de champagne et des bras appuyés sur la margelle, le jour du mariage. Il a imaginé son corps à elle, sous le béton. Depuis quinze jours, il bosse sur une nouvelle villa, à Ménerbes. Patrick lui manque, il n'avait pas de meilleur ami que lui. Mais il comprend son départ, lui aussi aimerait changer de lieu parfois pour oublier ce qu'il y a fait. Il aimerait ne pas croiser la voisine le matin, son regard de mère inconsolable. Il aimerait aussi ne pas se réveiller chaque nuit, en sueur, le cœur révulsé. Dans ces moments-là, il se lève pour aller regarder dormir la petite, c'est la seule chose qui l'apaise un peu.

Les flics ne sont pas revenus. Les services sociaux en revanche, oui. Séverine continue de fustiger l'assistante sociale. Mais finalement, elle adore la détester et ne déteste pas boire un thé avec elle une ou deux fois par mois, se plaindre de ses conditions de travail et de la difficulté d'être mère et grand-mère à pas encore quarante ans. Elle les a aidés à toucher une allocation qui les dépanne bien, Manuel n'aime pas y penser. Il n'a pas été question de placement, alors Séverine s'est détendue un peu, même si elle n'aime pas le regard que pose cette conne sur leur vie, ce sourire qu'elle a lorsque Séverine lui parle des bonnes notes de Jo, ce sourire satisfait comme si c'était grâce à elle.

La fumée pique la gorge de Manuel ; il titille les morceaux de bois du bout d'une pique en ferraille.

Séverine sent l'odeur de feuilles et de bois jusque dans la cuisine. En allant vérifier si tout va bien dans la chambre des filles – qui sont trois à présent –, elle se croise dans le miroir du couloir. Elle s'arrête un instant, détaille sa beauté qui glisse vers la quarantaine, les rides au coin des yeux, les plis autour de la bouche, rire et amertume. La peau sous le menton, douce mais déjà trop souple. Dans sa tête, une plainte interne se déploie, ordurière et élégiaque à la fois – le temps lui offre une manière de poésie qu'elle ignorait avant. Elle sursaute soudain à cause d'une porte ouverte brusquement : Jo surgit, un grand sac à la main, et dévale les escaliers sans lui accorder un regard. Quand Séverine jette un œil dans la chambre, elle reste un moment appuyée contre le chambranle de la porte, à observer sa fille endormie, l'enfant lovée contre elle.

Dans le jardin, Johanna a rejoint son père. Sans un mot, elle ouvre le sac, en sort une première chemise qu'elle jette dans le feu.

– Tu fais quoi ? s'insurge Manuel.

Mais Jo répond de son drôle de regard, alors s'il ne comprend pas forcément de quoi il retourne, il choisit de se taire. Il l'observe poser une à une les fringues au milieu des feuilles qui brûlent. Au bout d'un moment, il lui tend le tisonnier, et elle le remercie d'un sourire, avant de pousser la paire de chaussures au milieu des flammes.

– Attends, tu vas voir, il dit dans un élan gamin, et il file chercher un petit bidon d'essence à l'arrière du pick-up.

Victorieux, il arrose les braises, qui explosent et ravivent un feu dangereusement puissant. Les flammes leur font le visage orange, les chauffent aussi dans ce début de nuit humide, glaciale. Ça claque et chuinte au milieu du brasier.

Elle rit doucement, alors il n'est pas mécontent de sa trouvaille, le père. Ça fait bien longtemps qu'il n'a pas fait rire qui que ce soit. Il a beau chercher, il ne trouve pas ; quand il jouait au monstre avec ses filles et faisait semblant de les glisser dans la bétonnière comme si c'était un garde-manger ogresque, peut-être. Six et sept ans maximum. Au-delà il ne voit pas. De toute façon ça fait un moment qu'il ne rit plus, lui non plus, et il a l'impression que ça ne va pas revenir de si tôt. D'ailleurs il n'a pas envie que ça revienne.

Manuel est soulagé de voir disparaître les résidus du fauteuil, en même temps que ces jolis chemisiers dont il ne sait rien. Elle ne lui a pas posé de questions, alors il respecte son silence.

Au bout d'un moment, le sac est vide, ou presque. Jo s'accroupit près du feu, saisit quelques bouquins aux couvertures ouvragées, les approche des flammes, recule. Elle les remet dans le sac.

– Prise de guerre, elle murmure pour elle-même.

Des pleurs retentissent à l'étage, signe que le bébé s'est réveillé et que Céline va entamer des allers-retours épuisés dans le couloir pour la rendormir, en essayant de bien faire, alternant douceur et panique, cris de rage et comptines. Jo a du mal à bosser quand la petite pleure, quand sa mère et sa sœur s'engueulent au-dessus des cris de l'enfant, mais elle ne se plaint jamais ; elle sait que le temps viendra où elle partira.

Elle attend.

Le portable de Manuel sonne soudain, mélodie incongrue qui chante au-dessus des éclats du feu.

Johanna observe son père, mouvant sous les dessins du feu, répondre et écouter. Elle le voit fermer les yeux, frotter sa nuque de sa grande main. Il écoute longtemps, murmure des remerciements, hoche la tête comme un enfant. Quand il raccroche, sa main tremble et il inspire comme après une grande apnée. Un sanglot sec lui échappe.

– Qu'est-ce qui se passe ? demande Jo.

– C'est mon père. Il vient de mourir.

Presque beaux

(épilogue)

Quand ils quittent la maison pour rejoindre la fête, ils sont presque beaux. La mère porte de nouvelles boucles d'oreilles en plumes et même Manuel lui a dit qu'elle était jolie comme ça, lui qui ne dit plus grand-chose. Céline a habillé Jolene comme une poupée, elle est fière, même si la gamine se tortille dans sa poussette, déjà désireuse de marcher. Son petit tee-shirt doré remonte jusqu'au milieu de son ventre, dévoile les bandes collantes de la couche, sa peau douce et son nombril bombé.

C'est Séverine qui pousse la gosse dans une poussette énorme – les filles ont pris de l'avance, comme d'habitude.

Manuel est déjà saoul, il a attaqué au pastis bien avant de partir. Du coup il traîne en arrière, regarde sa femme en se demandant si elle se laissera toucher ce soir, après la fête. Et s'il sera trop bourré pour bander ou pas. Et puis soudain il s'attendrit sur la gosse qui babille, en a les larmes aux yeux. Il s'approche de la poussette, gazouille des mots idiots pour répondre à l'enfant. Manuel est un bateau troué, la ligne de flottaison fragile, jamais très loin du naufrage.

Les filles accélèrent, mettent la distance, se tiennent par le bras. Elles ont ressorti leurs sandales, la chaleur est partout. Céline a loupé son rendez-vous Pôle emploi ce matin mais de toute façon, il n'y a pas de boulot pour elle. Et puis les grands-parents comptent sur elle, pour les pommes.

Jo passe en première. Au conseil de classe, ils ont dit qu'elle avait des capacités. Qu'il fallait qu'elle s'ouvre un peu plus aux autres, qu'elle fasse confiance. Ça l'a fait marrer.

Elles ont trop chaud, leurs débardeurs sont humides. Déjà, elles entendent la musique et se mettent à chanter – *freed from desire, mind and senses purified.* Les choses qui ne bougent pas, ce serait presque rassurant parfois, rassurant comme une angoisse familière.

Elles chantent fort, entrent dans ce nouvel été en secouant la tête au rythme de la chanson, comme un refus. Céline coince une mèche de cheveux derrière une oreille, Jo enfonce ses mains dans les poches arrière de son jean et ça fait ressortir ses épaules brunes, ses petits seins.

Elles sautillent, une danse du bassin, un rire en lisière : il leur reste encore un peu d'enfance, avec ses rognures d'espoir et son incidence sur l'avenir.

Elles se demandent laquelle proposera, en premier, un tour sur la Tarentule. Et qui montera avec elles.

Remerciements

Merci à Stéphanie Louit qui m'a accompagnée et soutenue tout au long de l'écriture de ce roman et de tous les précédents.

Merci à Cédric Tartiveau, qui a pris le temps de me parler de maçonnerie et des rapports entre les gars sur un chantier.

Merci à Jean-Christophe Tixier, pour le partage des doutes et les précieux encouragements.

Merci à Nicolas Mathieu, qui m'a offert le titre de ce roman.

Merci à Benoît Minville, qui, avec le sus-nommé, a entrenenu la colère et l'envie par de longues discussions enflammées et une solide amitié de plume.

Merci à Stéfanie Delestré qui, la première, m'a poussée à écrire ce roman et a su en reconnaître les qualités.

Merci à Clémentine Thiébault pour sa lecture et sa confiance.

DU MÊME AUTEUR

Aux éditions Sarbacane

FRANGINE, 2013
L'OGRE AU PULL VERT MOUTARDE, 2014
LA GUEULE DU LOUP, 2014
L'OGRE AU PULL ROSE GRIOTTE, 2015
DANS LE DÉSORDRE, 2016
L'OGRE À POIL, 2016

Composition : IGS-CP
Impression : CPI Bussière en janvier 2018
Éditions Albin Michel
22, rue Huyghens, 75014 Paris
www.albin-michel.fr
ISBN : 978-2-226-39891-8
N° d'édition : 22682/01 – N° d'impression : 2032942
Dépôt légal : février 2018
Imprimé en France